Für Anne & Erwin
in herzlicher Verbundenheit!

Gerta.

Gerta Hummel

Echt muß der Wein
und
echt die Liebe sein

Heiterer Roman

b
b
b

BATTERT BADEN-BADEN

Dieser Band erscheint als Erstdruck
Umschlagzeichnung und grafische Gestaltung:
Paul Hübschmann, Baden-Baden

Alle Rechte dieser Ausgabe bei Battert-Verlag, Baden-Baden
© Copyright by Battert-Verlag, Baden-Baden
Gesamtherstellung: FORTUNA DRUCK, Kuppenheim
Printed in Germany
ISBN 3-87989-012-9

Der Inhalt des Romans und die in ihm handelnden Personen sind erfunden, Ähnlichkeiten sind rein zufällig.

Gerta Hummel wurde als Tochter eines deutschen Vaters und einer lothringischen Mutter in Lothringen geboren. Die vorliegende Veröffentlichung ist nach Plaudereien für Presse und Rundfunk der erste Roman der Autorin, deren erzählerisches Talent in der Hauptsache auf dem Gebiet der heiteren Prosa liegt.

Mißgünstige Freunde und nie mitgenommene Bekannte des jungen Hermann Münzer nennen sein von ihm unzertrennliches Fahrzeug gern eine alte Kiste, die längst auf den Autofriedhof gehöre. Das ist einfach böswillige Verleumdung! In Wirklichkeit ist es ein gelber Sportwagen, zugegeben schon ein wenig altersschwach, mit manchem Kratzer und mancher Delle dort, dafür aber erfüllt von hundert, nein, sogar von tausend teils fröhlichen, teils wehmütigen Erinnerungen, von denen ein funkelnagelneuer Mercedes einfach nichts wissen kann. Und darum eben von seinem Besitzer geliebt, heiß geliebt, fast so sehr wie die letzte blonde kleine Freundin.

Jeder Mensch hat seine unterschiedlichen Launen, seine guten und schlechten Tage, seine frohen und trüben Stunden. Warum — bitte — nicht auch ein Auto?

Menschlicher Erfindergeist vermochte der heute unentbehrlich gewordenen Blechkomposition rasendes Leben einzuhauchen. Wäre es da nicht möglich, daß sie zusätzlich so etwas wie Gefühle abgekriegt hätte?

Auf jeden Fall, der vielgefahrene gelbe Wagen des jungen Hermann Münzer hat seine wechselnden Stimmungen genau wie jeder Mensch. Ganz bestimmt! Und gerade an diesem schönen und strahlenden, einen wundervollen Herbsttag verheißenden Oktobermorgen ist schon in aller Frühe seine Laune äußerst kritisch. Der Motor stottert vollkommen unvorschriftsmäßig mehrere Male hintereinander, er gibt also warnende Signale von sich. Zwischendurch gehorcht er noch einmal für einige Meter Fahrt der sicheren Hand seines Lenkers, dann verläßt ihn endgültig die Lust. Er hat genug für heute, er steht still, er will ganz einfach jetzt seine Ruhe.

Aus! Vorbei! Er spielt den toten Mann. Trotzdem vor ihm das helle Band der Straße verheißungsvoll in die Ferne lockt, trotzdem neben ihm die blaßgrünen Wellen der Mosel zu hurtigem Wettlauf einladen und auf der Seite am steilen Berghang die herbstlich bunten Rebstöcke aufmunternd winken.

Hermann Münzer nimmt gelassen den Fuß vom Gaspedal und die Hände vom Steuerrad. In schönster Seelenruhe greift er zunächst einmal in die Hosentasche nach der Zigarettenschachtel und zündet sich genußvoll die in allen Lebenslagen unvermeidliche Zigarette an.

Neben ihm sitzt der Kunstmaler Alfred Brühl, gleichaltriger Kamerad und Teilhaber unzähliger gemeinsamer Jugendstreiche, lang, hager und wegen Nichtigkeiten unglaublich leicht in die Wolle geratend, cholerisch bis in die äußersten Fingerspitzen.

Größere Gegensätze als die beiden jungen Männer lassen sich kaum denken. Der eine ist im Nu auf die höchste Palme zu bringen, den andern wirft so leicht nichts um. Vermutlich liegt gerade in dieser Verschiedenartigkeit der Temperamente das Geheimnis ihrer unverbrüchlichen Kameradschaft, vom ersten Kuchenbacken der Dreikäsehochs im Sandkasten an, über alle Klippen der bewegten Schulzeit und alle Stürme der reichlichen Jugendlieben hinweg. Sie haben stets eisern zusammengehalten, nicht ohne gelegentlich bei Meinungsverschiedenheiten mit den Fäusten aufeinander loszugehen, aber im Handumdrehen wieder einig, wenn einer von ihnen durch einen Dritten angegriffen wurde. Vielleicht auch war die beiderseitige Anziehungskraft mitbegründet in der Gegensätzlichkeit des Milieus, dem sie entstammen. Der eine war verhätschelter Einziger wohlhabender Geschäftsleute, die vor lauter Jagd nach dem Geld keine Zeit hatten, sich um den Sprößling zu kümmern, ihm aber als Äquivalent dafür jeden Wunsch erfüllten. Der andere war das schwarze Schaf einer biederen Beamtenfamilie, in der seit Menschengedenken noch kein Mitglied so konsequent jeden Fetzen erreichbaren Papiers beschmiert hatte und dann wirklich und wahrhaftig ein hungerleidender Kunstmaler geworden war.

Fassungslos hatte besonders die ältere Generation diesem in ihren Augen exzentrischen Berufswunsch gegenübergestanden.

„Aber dann hast du doch mit nackten Menschen zu tun", gab eine bestürzte Großtante zu bedenken. Sie hatte in ihrer Jugend einmal etwas von einem Aktmodell gehört.

„Das hat doch auch jeder Arzt", war die seelenruhige Antwort, die ihr für den Augenblick allen Wind aus den Segeln nahm.

„Ja aber . . . ein Arzt . . . das ist doch ganz etwas anderes", hatte die alte Frau dann verwirrt gestammelt und dafür von ihrem lachenden Neffen einen unmanierlichen Kuß mitten auf die Nasenspitze geerntet.

„Weiß ich ja, Tantchen, aber nackt bleibt nackt, mit allem Drum und Dran."

Impertinenter Lausebengel! Gar kein Respekt mehr vor dem Alter!

Diesen Lausebengel reizt jetzt die unerschütterliche Ruhe seines Freundes bis zur Weißglut.

„Ist dir schon wieder das Benzin ausgegangen?" fragt er vorwurfsvoll. In seinen Augen ist dies die Grundursache aller Autopannen auf der ganzen Welt. Ohne Farben kann er nicht malen, ohne Treibstoff kann das Auto nicht fahren. Das ist doch zwingende Logik. Von moderner Technik hat er nicht viel Ahnung, sie liegt ihm nicht und er gibt sich keine Mühe, in ihre tiefergehenden Geheimnisse einzudringen. Technik und Kunst, behauptet er stur, seien einander so entgegengesetzt wie die Pole der Erdachse.

„Ausnahmsweise nicht, diesmal bin ich unschuldig, denn der Tank ist noch voll", verteidigt sich der Gefragte und übersieht absichtlich die erbitterte Gemütsverfassung des andern.

„Na, woran kann es denn dann liegen? Ich denke, wir wollten sobald als möglich in Cochem sein."

Hermann zuckt fatalistisch die Achseln, er hat keine Eile.

Wozu sich aufregen? Sie sind doch im Urlaub. Er ist nicht so aufbrausend wie der ungeduldige Freund. Er neigt viel eher dazu, die unvermeidbaren kleinen Unannehmlichkeiten des täglichen Lebens mit geruhsamer Gelassenheit hinzunehmen. Eine beneidenswerte Veranlagung!

„Wenn der Wagen nicht will", meint er seelenruhig und steigt gemächlich aus seiner gelben Kiste. Im Zeitlupentempo öffnet er dann die Motorhaube und betrachtet tiefsinnig die verstaubten Innereien seines Wagens. Gerade diese absolute Gemächlichkeit, diese durch nichts zu erschütternde Ruhe, sie bringen die angestaute schlechte Laune seines Mitfahrers zur Explosion.

„Steh doch nicht da und tu so, als verstündest du auch nur das Mindeste von den technischen Einzelheiten deines Wagens. Wenigstens die elementarsten Kenntnisse hättest du dir längst aneignen können. Es ist geradezu paradox: du bist ein glänzender Fahrer, das muß man dir lassen, aber von den Eingeweiden deines Autos hast du keine blasse Ahnung."

Gelangweilt, mit ironischem Grinsen winkt der Freund ab und stoppt den ärgerlichen Redefluß.

„Leg doch nicht immer die alte Platte auf! Schließlich sind wir jetzt tagelang ohne Panne unterwegs. Das mußt du doch zugeben."

„Natürlich, geb ich auch ohne weiteres zu. Aber es kann doch nicht schwer sein, wenn man ernstlich will, zu begreifen, wie diese Maschinerie konstruiert ist und zu funktionieren hat. Also wenn ich nicht gerade Künstler wäre ..."

Diesmal wird er sehr unwillig unterbrochen.

„Menschenskind! Fred! Wie kann man sich um einer Lappalie willen so aufregen, noch dazu in dieser herrlichen Landschaft, an solch einem bildschönen Morgen! Was willst du denn eigentlich? Es ist doch kein Unglück passiert. Ich habe niemand umgefahren und nicht einmal einen zusätzlichen Kratzer am Wagen. Ich würde eher sagen, mein Autochen meint es gut mit uns. Es gibt uns auf seine Weise den Rat, heute hier Station zu machen. Also bleiben wir eben einen Ferientag länger als vorgesehen an der Mosel. Ist das so schlimm? Mal sehen, wo hier die nächste Reparaturwerkstätte ist. So'n Mann will ja schließlich auch was verdienen."

Die Zigarette lässig im Mundwinkel, beide Hände bis fast an den Ellenbogen in den Hosentaschen, so schlendert er gemütlich davon, während der aufgebrachte Malersmann seinen schäumenden Groll mühsam hinunterwürgt. In kleinen Unstimmigkeiten muß man nachzugeben wissen, wenn der eigene Wagen noch in durchaus nebelhaften Fernen schwebt. So schlau ist der lange Alfred Brühl im Laufe der Zeit ja nun auch geworden, aber leicht fällt es ihm nie, dieses diplomatische Hinunterschlucken seiner Wut.

Innerlich kochend bequemt er sich wohl oder übel ebenfalls zum Aussteigen, um dem Freund zu folgen. Was bleibt ihm schließlich anderes übrig? Als er dann endlich auf der Uferstraße steht und nach allen Seiten hin die liebliche Gegend betrachtet, verfliegt im Augenblick seine gereizte Stimmung. Jetzt ist auch er nahezu bereit, die unfreundliche Bockigkeit des gelben Wagens zu segnen. Das Vehikel ist gar nicht so dämlich wie angenommen, es hätte wirklich an einer weitaus unpassenderen Stelle den Geist aufgeben können.

„Das Moseltal ist auch schön", sagt er nach langem Umherschauen anerkennend und versöhnlich, als er den gutmütig auf ihn wartenden Kameraden erreicht.

„Falsch, Fred, ganz falsch!" widerspricht Hermann ihm sofort. „Wenn du sagst a u c h schön, so ziehst du Vergleiche. Du denkst bestimmt dabei an den Rhein und das darfst du nicht. Die Mosel ist anders und ihre Landschaft ist anders, stiller, beschaulicher, aber von unbeschreiblichem Liebreiz für den, der sie kennt. Ich weiß schon, warum ich dich zu dieser Moselfahrt mitgenommen habe, du wirst hier bestimmt dankbare Motive für deine Arbeit finden."

Begeistert schaut er in alle vier Windrichtungen. Es ist, als habe sich die Welt an diesem zauberhaften Morgen extra blank geputzt, so frisch wirkt alles, so heiter im strahlenden Sonnenschein. In dieser Jahreszeit ist jeder Tag voll Sonne ein Geschenk des Himmels, für die Menschheit im allgemeinen und für die Gilde der Winzer noch zusätzlich im besonderen.

Von irgendwoher hört man mehrmals übermütige Rufe, ohne Zweifel junge Stimmen, sehr fröhliche Stimmen, und die

Freunde lauschen beide dieser überraschenden Geräusch-
kulisse nach. Plötzlich erfaßt Hermann als erster deren Be-
deutung.

„Mensch! Fred! Hast du das Juchzen eben gehört? Es kam
von oben, vom Berg. Hier ist Weinlese", schreit er hingeris-
sen. „Das nenn' ich Dusel haben, wir konnten zu keinem
besseren Zeitpunkt herkommen. Siehst du, mein braver kleiner Wagen ..."

Der Automechaniker in der nächsten Werkstatt ist ein
lustiges Haus mit unzählig viel winzigen Fältchen im wetter-
gegerbten braunen Gesicht. Man sieht ihm unschwer an, er
hat sich in seinen jungen Jahren manch rauhen Wind um die
Nase wehen lassen, bevor er hier in dem pittoresken Mosel-
örtchen endgültig vor Anker ging.

Als er von dem defekten Auto auf der Uferstraße hört, verliert er nicht viel Worte. Er wischt sich die verschmierten
Hände flüchtig an einem Knäuel Putzwolle ab.

„Gehen wir", sagt er sachlich.

Er braucht nur einen prüfenden Blick in den leblosen
Blechinvaliden zu werfen, dazu kommen ein paar fachmän-
nische Handgriffe mitten in das verstaubte Getriebe hinein,
und schon hat er die Ursache der schlechten Autolaune entdeckt.

„Es liegt an der Kupplung", stellt er sachkundig fest und
glaubt dann trösten zu müssen. „Es gibt Schlimmeres, nur
wird die Reparatur bis morgen dauern. Es tut mir leid, aber
ich habe für heute schon andere Arbeit übernommen. Die
Leute warten darauf, weil sie schleunigst weiter wollen, und
es muß ja nach der Reihe gehen."

Um Verständnis für seine Lage bittend, zuckt er bedauernd
die Achseln. Daran läßt sich eben nichts ändern, soll das heißen, ich kann keine Ausnahme machen, man muß sich ins
Unvermeidliche schicken.

„Uns kommt das sehr gelegen", gibt Hermann ihm übermütig zur Antwort und freut sich diebisch über das erstaunte
Gesicht des biederen Mannes. Das passiert dem so gut wie
nie, daß eine Autopanne, noch dazu eine, die nicht im Hand-

umdrehen zu beheben ist und immerhin unvermutete Kosten verursachen wird, ausgesprochen lustige Stimmung auslöst.

„Solche Kunden müßte man öfter haben", sagt er anerkennend. „Wenn Sie wüßten, welche Blütenlese saftigster Kraftausdrücke unsereiner manchmal zu hören bekommt! Von den kultiviertesten Leuten, das heißt besser gesagt, von den scheinbar kultiviertesten Leuten blättert plötzlich alle Vornehmheit ab wie der Lack vom Blech, wenn der Wagen streikt. Da kann man selbst als alter Hase noch dazulernen, in verschiedenen Sprachen sogar, und ich dachte immer, ich sei schon perfekt."

Hermann erklärt ihm den Grund der guten Laune.

„Hier ist doch gerade die Weinlese im Gange, die möchten wir gern mitmachen und ein richtiges echtes Winzerfest erleben."

Für diesen Wunsch hat der Mann volles Verständnis, wenn schon der launige Zufall die beiden Freunde zur Zeit der Lese hier festgesetzt hat.

„Kann ich verstehen, geht in Ordnung."

„Aber zu wem sollen wir hingehen, um mitzumachen?" An wen könnten wir uns wenden?"

„Lassen Sie mich nachdenken, ich werde schon ein Haus im Ort für Sie finden. Übrigens haben Sie es gut getroffen, denn es war ein gesegnetes Jahr", sagt er und in seinen Augenwinkeln nistet lebensfrohes Lachen. Dann wird er unvermittelt ernst.

„Der Laie kennt die Schwierigkeiten des Weinbaus viel zu wenig. Der schlürft und genießt seinen Wein und denkt nicht viel nach dabei. Nicht immer ist die Lese ein Fest, müssen Sie wissen. In manchem Jahr bleibt es im Herbst ganz trostlos still, zum Beispiel, wenn im Mai späte Fröste gekommen sind oder der Sommer zu kühl und zu naß war. Aber diesmal hat der alte Petrus es gut gemeint mit den Winzern. Sogar jetzt scheint die Sonne noch wie im September, und jeder Tag voll Sonne verbessert die Güte des Weines."

Nach einigem Überlegen gibt er den beiden jungen Männern den Rat, zu einem der wohlhabendsten Weinbauern des Ortes hinzugehen und ihm ihre Arbeitskraft anzubieten.

„Der Schweitzer hat viele Weinberge, sehr gute Lagen dabei, und die Lese hat erst begonnen. Da können Sie sicher heute mitmachen. Je mehr Leute, desto besser."

Freiwillige Helfer sind in diesen arbeitsreichen Tagen immer willkommen, allerdings müssen sie in der Schar der Lesenden tatkräftig mitmachen. Er warnt seine beiden Kunden ausdrücklich vor zuviel Optimismus.

„Eine Spielerei ist das nicht, sondern anstrengende Arbeit. Lassen Sie sich das gesagt sein! Bestimmt werden Sie morgen einen anständigen Muskelkater haben."

Jedoch die Freunde sind eisern entschlossen und zu allem bereit, sie scheuen keine Mühen und fürchten keine Folgen. Sie brechen unverzüglich auf, voller Tatendrang und Erlebnishunger.

„Viel Spaß dann auch am Abend beim Tanz!" ruft ihnen ihr Berater zum Abschied noch nach, verständnisinnig grinsend. „Zur Zeit der Weinlese sind die Einheimischen heiterer und gelöster als sonst im Jahr, und die Moselmädchen sind wie der Moselwein ..." er schnalzt genießerisch mit der Zunge, „etwas für Kenner!"

Lachend wendet er sich wieder seiner Arbeit zu.

Die jungen Leute folgen seinem guten Rat und schlagen die angegebene Richtung ein. Was sie sich vorgenommen haben, wird aller Anstrengung zum Trotz eisern durchgeführt. Selbstverständlich ist es Ehrensache, daß sie vollwertige Mitarbeiter sein werden. Schließlich sind sie jung und voller Kraft und guten Willens. Was tut's, wenn morgen wirklich ein paar renitente Muskel sich unliebsam bemerkbar machen sollten. Das geht vorbei, aber die schöne Erinnerung wird bleiben.

Sie gehen die ansteigende Straße hinauf zu dem stattlichen Haus des Weinbauern Schweitzer. Dort finden sie das große Hoftor wagenweit offen und treten ungehindert ein, doch erstaunlicherweise nimmt kein Mensch von ihnen die geringste Notiz, die Leute sind viel zu beschäftigt. Jeder hat seine Arbeit, dringende Arbeit, und darum hat keiner einen Augenblick Zeit, sich um zwei unbekannte Zuschauer zu kümmern.

An den Tagen der Lese finden sich oftmals Fremde hier ein als mehr oder weniger erwünschte oder manchmal sogar störende Zaungäste.

Freds Maleraugen genießen beglückt das abwechslungsreiche Bild der sehr beschäftigten Menschen. Das ist vitales pulsierendes Leben! Er nimmt die Vielfalt der Farben in sich auf, die vom strahlenden Sonnenschein zu intensivstem Leuchten gebracht werden: das azurne Blau des Himmels, das reife Gelbgrün der Trauben, das warme Braun des Holzes, dazu die kunterbunten Farbtupfer der Frauenkleidung, ein roter Pullover hier, ein grasgrüner Rock dort, und da drüben ein gelbes Kopftuch über frischen rosigen Wangen. So etwas müßte man auf die Leinwand bannen können, aber nicht nur Figuren und Farben. Nein, es müßte zugleich gelingen, die quirlende Geschäftigkeit dieser Menschen auf dem Bild festzuhalten, dazu ihre heitere Stimmung trotz der harten Arbeit, ihr Glück und ihre Zufriedenheit über die reiche Traubenernte und natürlich auch die Vorfreude auf den guten Wein dieses gesegneten Jahrgangs. Ach, wie weit ist doch immer der Weg von dem schöpferischen Impuls über die Hand und den Pinsel bis hin zum fertigen Werk! Und wie selten ist der Künstler von seiner Leistung vollkommen befriedigt, allem Können und aller aufgewendeten Mühe zum Trotz. Armer Fred, er verliert sich in elegischen Gedanken.

Hermann hat ganz etwas anderes im Sinn. Er möchte da mitmachen, wo alle so rührig sind. Er möchte die Jacke ausziehen und an den nächsten Nagel hängen, die Hemdärmel aufkrempeln und mit beiden Fäusten irgendwo anpacken, am liebsten da, wo es am schwersten ist. Nach den acht Tagen gemütlichen Bummellebens, die er gerade hinter sich hat, spürt er Tatendrang und Bärenkräfte in sich.

Aber noch immer stehen die beiden Freunde unbeachtet herum, als seien sie überhaupt nicht vorhanden. Sie kommen sich allmählich so überflüssig vor wie zwei ausrangierte abgestellte Blecheimer. All' ihr mitgebrachter glühender Arbeitseifer scheint hier ausgehen zu müssen wie das berüchtigte Hornberger Schießen. Bis Hermanns prickelnde Ungeduld einfach nicht länger zu zähmen ist und er selbst die Initiative ergreift. Kurzentschlossen geht er auf einen behäbigen Dicken mit rotem Kopf und feuchter Glatze zu, der hier tonangebend zu sein scheint und dessen beachtlicher Leibesumfang den wohlhabenden Besitzer von Haus und Hof vermuten läßt. Er stellt sich und seinen Freund vor und fragt, ob sie bei der Arbeit helfen könnten.

„Eine Autopanne hat uns heute zufällig hier in den Ort verschlagen. Wir möchten die Zeit nützen und gern eine richtige Weinlese mitmachen."

„Junger Mann", sagt darauf der Weinbauer Schweitzer mit dröhnendem Baß und stemmt die derben Fäuste zu beiden Seiten an seinen Kugelbauch, „brauchen könnte ich Sie und auch Ihren Freund sehr gut, ich hab' zu wenig Leute zum Rebenschneiden, aber wissen Sie ... die Sache ist die ..." er kratzt sich unentschlossen an seinem restlichen spärlichen Haarwuchs im feisten Nacken, „eine Weinlese ist nicht nur ein Fest, wie Ihr es Euch vielleicht denkt, es ist zunächst ein schweres Arbeiten im Weinberg. Die Städter kennen sich da nicht so aus, das haben wir schon oft gemerkt. Es kostet Schweiß, bevor der Most im Keller ist. Zum Feiern wärt Ihr dann auch willkommen, aber erst die Arbeit, dann das Vergnügen!"

Die beiden schwören tausend Eide, ehrlich und redlich mitschaffen zu wollen.

„Wir sind doch jung und können überall zupacken. Sie werden bestimmt mit uns zufrieden sein."

Worauf der Bauer einverstanden ist. Er trocknet sich die Rechte an seiner blauen Schürze ab und lädt seine neu gewonnenen Arbeitskräfte zum Bleiben ein mit einem Händedruck, der diese fast in die Knie gehen läßt. Damit hat er sie zum Helfen verpflichtet und das Weitere ist Weibersache, das muß seine Frau erledigen.

„Der Kerl ist ja beinahe eine Witzblattfigur", raunt Fred dem Freund zu, während sie auf die Hausfrau warten.

„Aber wirklich nur beinahe", antwortet Hermann ebenso leise. „Täusch dich nicht! Mir scheint, er weiß genau, was er will und was er wert ist."

Da erscheint auch Mutter Schweitzer schon und begrüßt die neuen Arbeitskräfte lächelnd und mit Herzlichkeit.

„Wie schön, daß Sie uns helfen wollen."

Sie hat freundliche Augen und strahlt Wohlwollen und Güte aus. Sie gibt jedem eine von den derben Schürzen, wie alle hier sie tragen, und hilft ihnen sogar beim Umbinden. Damit aber sind sie auch von ihr entlassen, und schon wenige Minuten später stapfen sie aufwärts in die Weinberge, jeder in der Hand eine Rebschere. Außerdem trägt Fred auf seinem langen dürren Rücken eine leere Holzkiepe, wie er sie, als Stadtkind geboren und aufgewachsen, noch niemals gesehen hatte. Sie gefiel ihm so gut, daß er sich freiwillig erbot, sie auf den Berg zu transportieren. Er bezeichnet ihre Form als künstlerisch originell. Daß sie gleichzeitig zweckmäßig praktisch ist, wird er im Lauf des langen, vor ihm liegenden Arbeitstages zu erproben reichlich Gelegenheit haben.

Während seine stets alles Schöne suchenden Maleraugen entrückt genießend die bezaubernde Lieblichkeit der Landschaft in sich aufnehmen, erfaßt sein Freund in wenigen Sekunden die an Ort und Stelle gegebene Situation. Er ist realistischer veranlagt als Fred, er verliert sich nie in müßige Träumereien. Darum erwählt er auch jetzt prompt das seinem Geschmack am meisten Zusagende für seine Person. Ein orientierender Blick in die Runde, ein paar lustige Scherzworte, „... jetzt kommen erst die besten Helfer ...", und schon kurz nach der Ankunft im Weinberg beginnt er zwischen zwei frischen und lachenden Mädchen die köstlichen Trauben vom Stock zu schneiden. Indessen der Maler, als er sich endlich von den landschaftlichen Reizen des Moseltals losreißen kann, immer noch die eindrucksvolle Formschönheit der Kiepe im Kopf hat, die er nun auf ihre Zweckmäßigkeit hin begutachten will.

Er nimmt also erwartungsvoll den hölzernen Behälter von seinem langen Rücken herunter und stellt ihn auf den Boden. Schon kommen von allen Seiten die Frauen mit ihren vollen Eimern. Mit geübtem Schwung schütten sie die geernteten Trauben in die Kiepe hinein, während Fred ebenso neugierig wie anerkennend zusieht, wieviel sie faßt. Erst als kräftige Hände ihm behilflich sind, sich die breiten, ledernen Gurte wieder um die mageren Schultern zu legen, und er dadurch das volle Gewicht der eingefüllten Früchte zu spüren bekommt, verlieren seine Gesichtszüge ihr wohlwollendes Staunen über das beachtliche Fassungsvermögen.

„Au verflixt!" entfährt es ihm unwillkürlich im ersten Schrecken.

Gleichsam erwachend entdeckt er plötzlich viele schadenfrohe Augenpaare auf sich gerichtet, äußerst gespannt, wie der unerfahrene magere Stadtfrack mit seiner ungewohnten Last fertig werden wird. Das Bewußtsein, als schwächlicher, der körperlichen Arbeit nicht gewachsener Städter von dem Winzervolk kritisch beobachtet zu werden, verleiht ihm ungeahnte Kräfte. Er will sich keine Blöße geben, er hat seinen Stolz, er ist doch ein Mann! Also stapft er mit seiner vollen Kiepe abwärts, vornübergebeugt, jedoch mit gleichmäßig festen Schritten, dorthin, wo große Bottiche auf einem Wagen den reichen Erntesegen aufnehmen. Das ist ein ganz schönes Stück Weg. Anschließend klettert er unverzüglich, wie ihm befohlen, den steilansteigenden Hang wieder hinauf, um sich die nächste, ihn schon erwartende Last wieder aufladen zu lassen. Sein übertriebener Ehrgeiz, sein falscher Stolz verbieten es ihm, diese Tätigkeit aufzugeben, die natürlich seine untrainierten Kräfte weit übersteigt. In dem Maße, in dem seine zwangsläufig zunehmende Erschöpfung wächst, steigert sich in seinem Innern ein erbitterter Groll auf den ahnungslosen Freund.

Im krassen Gegensatz zu dieser ohnmächtigen Wut des geplagten Lastenträgers herrscht ausgelassenste Stimmung unter dem munteren Völkchen, das die Trauben schneidet. Die Jugend ist hier weit in der Überzahl, unentwegt fliegen lustige Scherzworte hinüber und herüber. Alle Voraussetzungen für unbeschwerten Frohsinn sind in diesem Herbst gegeben: eine quantitativ wie qualitativ reiche Ernte bietet Aussicht auf sehr viel Wein, auf sehr guten Wein und damit auf viel gutes Geld. Die jungen Leute freuen sich natürlich schon jetzt auf das Feiern am Abend, auf Tanz und Musik und Jubel und Heiterkeit, denn schließlich ist das Fest der Weinlese, noch dazu einer so ertragreichen Lese bei strahlendem Sonnenschein, in jedem Weinbaugebiet der absolute Höhepunkt des Jahres. Munteres Lachen perlt auf und pflanzt sich ausgelasssen fort. Die übermütige Laune steckt sogar die wenigen Alten an, die schweigend, ausgemergelt von Luft, Sonne und Wind, sich über die Rebstöcke beugen und mit rissigen Händen den Ertrag ihrer mühsamen Arbeit in die Eimer schneiden. Sie freuen sich mit der Jugend, sie lächeln etwas wehmütig im Gedenken an vergangene Zeiten. Sie haben ihr Leben im Weinberg verbracht. Er ist für sie Segen und Fluch gewesen, je nach der wechselhaften Laune des Wettergottes.

In gleichmäßigem Tempo wird Stunde um Stunde geschafft, unaufhaltsam. Es ist ein ungeschriebenes Gesetz, daß man beim Abernten der Rebstöcke in den Reihen auf gleicher Höhe bleiben muß. Auch die ungeübtesten Helfer setzen selbstverständlich ihren ganzen Stolz darein, dieses Ziel zu erreichen. Ein Aussetzen des einzelnen gibt es kaum, eher von Zeit zu Zeit ein gemeinsames Verschnaufen. Und anschließend beginnt wieder mit frischen Kräften das Schneiden der üppig hängenden Trauben.

Hermann beeilt sich nach der kurzen Ruhepause, seinen alten Platz wieder zu bekommen, denn er findet seine fleißige Nachbarin zur Rechten einfach entzückend. Mit flinken Fingern schneidet sie unglaublich schnell und gewandt die Trauben ab, viel öfter als bei ihm ist der Eimer gefüllt. Bei allem guten Willen, es ihr gleich zu tun, kann er mit ihrem Arbeitstempo nicht Schritt halten. Er ist zu ungeschickt, er schafft es einfach nicht, es fehlt ihm natürlich die Übung. Dazu kommt, daß er allzu häufig seine Augen nach rechts schweifen läßt, anstatt sich tiefer zu bücken und unten am Stock die reifen Beeren aufzuspüren.

Er lauert oft und immer öfter, daß inmitten des herbstlich gefärbten Weinlaubs das rotgetupfte Kopftuch auftaucht, obgleich das Mädchen sich ganz offensichtlich über ihn lustig macht. Anscheinend erkennt es auch als einzige, daß er bei seiner Arbeit heimlich mogelt. Denn er muß manchen Rebstock fast unabgeerntet überspringen, um vorschriftsmäßig mit ihr auf gleicher Höhe bleiben zu können.

Schließlich wird sein unkorrektes Verhalten mit gemimt strengem Tonfall gerügt.

„Sie sind keine vollwertige Arbeitskraft, sind Sie sich dessen bewußt? Und gewissenhaft sind Sie auch nicht! Für wen lassen Sie eigentlich die vielen schönen Trauben am Stock hängen?"

Hermann war noch nie auf den Mund gefallen, am allerwenigsten dem schönen Geschlecht gegenüber.

„Für die lieben Kinderchen natürlich, die doch bestimmt Nachlese halten werden."

Seine Nachbarin ist erstaunt.

„Woher wissen Sie als Städter denn, daß die Kinder Nachlese halten?"

„Ich wußte es ja gar nicht, ich habe es nur vermutet."

Um den roten Kirschenmund des Mädchens zuckt es verdächtig, doch scheinbar todernst fragt es mit unschuldigem Augenaufschlag:

„Sind Sie immer solch ein Kinderfreund?"

„Selbstverständlich ... das heißt, wenn die Kleinen lieb und brav sind."

Schweigend arbeiten sie dann nebeneinander weiter und keiner von beiden nimmt vorerst das leichte Unterhaltungsgeplänkel wieder auf. Die Augen aber, die sprühenden braunen auf der einen Seite und die werbenden blauen auf der anderen, die führen dafür über das bunte Reblaub hinweg eine umso beredtere Sprache. Und es besteht keinerlei Schwierigkeit, sich zu verständigen. Die Sprache der Augen ist vielsagend und verrät manchmal mehr als virtuose Zungenfertigkeit. Außerdem ist sie international und hat den Vorzug, erhaben zu sein über die Tücken grammatikalischer Regeln und unregelmäßiger Verben.

Als sich an diesem wunderschönen Herbsttag langsam die frühe Abenddämmerung herabsenkt, ist Hermann bis über beide Ohren verliebt in ein tiefgründiges strahlendes Augenpaar, einen lachenden schelmischen roten Mund, eine alle klassischen Profile verhöhnende und dennoch überaus reizvolle Stupsnase und ein windzerzaustes dunkellockiges Wuschelhaar, was alles zusammen einen allerliebsten Mädchenkopf ergibt.

„Wo können wir uns heute abend sehen?" drängt er, als die Arbeitskolonne geschlossen den Heimweg antritt. Er will seine neueste Flamme natürlich nicht gleich wieder verlieren, sondern möglichst einen beschwingten Abend mit ihr verbringen. Man kann doch jetzt nicht sang- und klanglos auseinandergehen! Wie sagte doch der alte Schweitzer heute morgen, als er seine freiwilligen Helfer verpflichtete? Erst die Arbeit, dann das Vergnügen! Der erste Teil des Abkommens ist erfüllt, die Arbeit nach bestem Können getan, folglich wäre jetzt das Vergnügen an der Reihe. Und Hermann gedenkt, es ausgiebig zu genießen.

Zu seiner grenzenlosen Enttäuschung antwortet ihm das junge Mädchen ziemlich schnippisch und uninteressiert.

„Ach, irgendwo werden wir uns schon treffen!"

Bevor er sich von diesem unerwarteten Tiefschlag einigermaßen erholen kann, ist die schlanke Gestalt plötzlich verschwunden, von der Dämmerung verschluckt, er hat das Nachsehen.

So ein infames kleines Biest! Erst einem Mann den ganzen Tag schöne Augen machen, ihn mehr oder weniger verheißungsvoll anlächeln und ihn dann wie einen dummen August stehen lassen. So was hat jeder gern!

Erst beim gemeinsamen Abendessen im Hause Schweitzer erkennt er verblüfft, daß der berückende Mädchenkopf, der ihm den seinen in ein paar kurzen Stunden so gründlich verdreht hat, Fräulein Lisa Schweitzer gehört, der einzigen Tochter des begüterten Weinbergbesitzers.

Mit offensichtlichem Vergnügen weidet sie sich an seiner leichten Verlegenheit.

„Eins zu null", neckt sie ihn unhörbar für die andern.

„Nicht für lange", flüstert er ebenso heimlich zurück, denn selbstverständlich wird er sich bei der ersten passenden Gelegenheit revanchieren. Er ist noch keiner holden Weiblichkeit je etwas schuldig geblieben. Ehrensache für ihn, ihr diese amüsante kleine Heimtücke möglichst mit doppelter Münze

heimzuzahlen, um so mehr, als ihr der beabsichtigte Über-
raschungseffekt so glänzend gelungen ist.

Ob er ein sehr dümmliches Gesicht gemacht hat, als er
in der Tochter des Hauses seine lustige Nachbarin aus dem
Weinberg erkennen mußte? Aber wie konnte er ahnen, so
gefoppt zu werden. Und wie hat sie sich in der unglaublich
kurzen Zeit herausgemausert! Sie hat bereits Toilette gemacht für das anschließende Tanzvergnügen und trägt nun ein
rotgemustertes Seidenkleidchen mit passendem Stoffstreifen
im Haar, der die zu zähmende Lockenfülle mühsam bändigt.
Dazu ein Goldkettchen am Hals mit dem gleichen Goldkettchen am Arm. Das sieht alles zusammen sehr nett aus, alle
Achtung! Natürlich hat sie keine Spur von einem Make-up an
sich, ohne das eine gleichaltrige Evastochter aus der Großstadt am Abend schwerlich ausgehen würde, aber bei ihren
frischen Farben ist ein Nachhelfen gänzlich unnötig. Das etwas
maliziöse Lächeln, mit dem sie sein nicht ganz zu verbergendes
Staunen quittiert und erst recht sein offensichtliches Wohl-
gefallen zur Kenntnis nimmt, ist dagegen nicht ohne leise
Raffinesse.

· Du bist ein Esel gewesen, kritisiert er sich innerlich schonungslos selbst, denn er hatte sich immer eingebildet, alle
Mädchen vom Lande seien mehr oder weniger naiv, auch
heute noch. Wie man sich täuschen kann im Leben! Überhaupt sollte man niemals Vorurteile fassen, sie können ebenso dumm wie überheblich sein, siehe den vorliegenden Fall.

Die Abendmahlzeit ist nicht nur sehr reichhaltig, sie ist
auch ganz ausgezeichnet. Hermann hatte zunächst den Gedanken erwogen, in einem der Hotels an der Uferstraße zu
essen und nicht im Hause Schweitzer. Seiner Meinung nach
würde es zu sehr nach Lohnerwartung aussehen, sich da mit
schöner Selbstverständlichkeit zur Abfütterung einzufinden.
Nach der ungewohnten körperlichen Anstrengung hatte er
einen Bärenhunger. Es stellte sich jedoch schnell heraus, daß
die beiden freiwilligen Helfer zum Essen erwartet wurden.
Sie waren so ohne weiteres, so natürlich in den Kreis der
hungrigen Familie einbezogen worden, daß eine Ablehnung

der herzlichen Einladung einer Kränkung gleichgekommen wäre.

„Sie werden uns doch jetzt nicht davonlaufen", hatte die warmherzige Hausfrau lächelnd gesagt, und die beiden waren dann gern geblieben. Das vorzüglich zubereitete Nachtessen steht übrigens der Qualität einer Mahlzeit im Restaurant bestimmt nicht nach, ganz zu schweigen von der Güteklasse des Weines, der ist natürlich über jedes Lob erhaben.

Lisa ist hier am Abendbrottisch genau so fleißig und flink, wie Hermann sie tagsüber im Weinberg kennengelernt hatte. Gewandt und liebenswürdig reicht sie die Schüsseln herum und versorgt die Gäste. Schleunigst holt sie auch etwas noch Fehlendes aus der Küche und vergißt nicht, ihrem Vater eine entsprechende Antwort zu verpassen, als er grimmig raunzt: „Wo ist denn wieder der Senf?"

„Bei der vielen Arbeit heute kann man wohl mal eine Kleinigkeit vergessen", belehrt ihn seine Tochter.

Sie beschafft in Windeseile das Gewünschte, hat schon unterwegs den Verschluß von der Tube abgeschraubt und malt ihm nun schnell einen lustigen und nicht zu knappen Senfkringel auf den Tellerrand. So ganz nebenbei fragt sie dann halblaut:

„Hast du eigentlich noch nie etwas vergessen?"

Dazu schaut sie ihm steil in die verblüfften Augen, und er schluckt seine empörte Antwort mit dem nächsten Bissen hinunter. Man sitzt ja nicht allein am Tisch. Ein paar Minuten später fragt sie ihn sehr betont, als er einen Moment ein leeres Glas übersieht:

„Sag mal, willst ausgerechnet du deine Gäste verdursten lassen?"

Schüchternheit ist eine Eigenschaft, die ihr anscheinend nicht in die Wiege gelegt wurde. Sie hat einen offenen Blick und sagt ungeniert, was sie denkt. Alles in allem ein nicht auf den Mund gefallenes behendes Persönchen, dem in seiner Geschäftigkeit zuzuschauen ein reines Vergnügen ist. Wenn sie ebenso gut tanzt, wie sie hier temperamentvoll als Tochter des Hauses herumfunktioniert, dann sei gesegnet, du bockiges gelbes Auto, dem ausgerechnet auf der Uferstraße hier im Ort der Atem ausging.

Vater Schweitzer verzehrt sein Essen mit Bedacht und mit Behagen, er kaut zufrieden auf beiden Backen, ja er fletschert geradezu jeden Bissen seines kroß gebratenen Schweinekoteletts, bevor er ihn mit einem nicht zu kleinen Schluck hinunterspült.

„Wer gründlich ist bei seiner Arbeit, der darf auch gründlich sein beim Essen, weil er sich's nämlich verdient hat", belehrt er seine jungen Gäste, und schließlich ist man dann beim Käse angelangt.

Das ausgedehnte Abendessen ist eine harte Geduldsprobe für die rastlose Jugend gewesen, deren tanzlustige Füße kaum mehr stillhalten konnten vor freudiger Erwartung. Gleich nach Beendigung der Mahlzeit wird aufgebrochen. Endlich! Vater Schweitzer wischt sich umständlich die fettgewordenen Lippen mit der Serviette ab und schließt sich dann schmunzelnd der fortdrängenden jungen Generation an. Jetzt kommt der gemütliche Abschluß eines langen Arbeitstages, sorgfältig wählt er noch die richtige Zigarre aus. Nur die fleißige Hausfrau bleibt in ihrem Wirkungskreis zurück, sie hat noch lange keinen Feierabend. An einem Tag wie dem heutigen hört für sie die Arbeit überhaupt nicht auf.

Mit der Absicht, sich von ihr zu verabschieden, folgt Hermann ihr in die Küche, hilfsbereit eine Salatschüssel mit hinausnehmend. Er erlebt eine weitere angenehme Überraschung an diesem denkwürdigen Urlaubstag, denn sein herzlicher Dank löst eine unerwartete Reaktion aus. Frau Schweitzer packt ihn energisch am Jackenärmel und hält ihn sehr resolut daran fest.

„Ja, wo wollen Sie denn heute nacht schlafen? Denken Sie nur nicht, daß während der Lese irgendein Wirt im Ort noch ein Zimmer frei hat, und Sie müssen nach der ungewohnten Arbeit doch todmüde sein. In unserem Gastzimmer ist Platz für Sie beide. Kommen Sie nur später mit meinem Mann und Lisa hierher zurück."

Indessen ist auch der lange Maler mit hängenden Armen und gallenbitterer Leidensmiene im Rahmen der offenen Küchentür erschienen, auch er mit der Absicht, sich höflich zu verabschieden. Da hört er gerade noch die für seinen mitgenommenen Körper so verlockenden Worte der Hausfrau, und die unverhoffte Aussicht auf baldige Bettruhe läßt ihn geradezu aufleben von seiner Erschöpfung und seinem Muskelkater.

„Recht herzlichen Dank für Ihre Freundlichkeit", sagt er beglückt zu der großzügigen Gastgeberin, bevor Hermann sich überhaupt zu dem überraschenden Angebot äußern kann. „Wäre es möglich, daß ich jetzt schon zu Bett ginge, jetzt gleich? Ich . . . ich mache mir nämlich nichts aus der ganzen Tanzerei."

Bei dieser leicht durchschaubaren Notlüge überfliegt Hermanns Züge ein diabolisches Grinsen, verständnisinnig, aber mitleidlos.

Frau Schweitzer findet nichs dabei.

„Aber natürlich, gern, ganz wie Sie wollen! Ich führe Sie gleich hinauf."

Geschäftig geht sie ihm voran aus der Küchentür. Wenn sie jemanden bemuttern oder verwöhnen kann, ist sie in ihrem Element. Es ist ein Grundzug ihres gütigen und selbstlosen Wesens, auf das Wohl ihrer Mitmenschen bedacht zu sein, nach besten Kräften zu helfen und zu trösten, Schmerzen zu lindern und womöglich Tränen zu trocknen.

Hermann haut dem müden Freund als Gutenachtgruß einen kameradschaftlichen Klaps auf die Schulter.

„Schlaf dich gut aus, mein Lieber!"

Unter dem handfesten Schlag knickt der lädierte Maler mit schmerzverzerrtem Gesicht in sich zusammen.

„Du hast eine Ahnung . . ."

Trotz des erbarmungswürdigen Jammerbildes da vor ihm kann Hermann sich eine boshafte Frage nicht verkneifen.

„Findest du eigentlich jetzt, nach den reichen praktischen Erfahrungen des heutigen Tages, die originelle Form der Kiepe auch zweckmäßig?"

Der offene Hohn bringt Fred zum Überkochen, soweit seine ramponierte Verfassung solchen Temperamentsausbruch überhaupt noch gestattet.

„Oh du! Du bist ja wieder an allem schuld! Du hast immer so blödsinnige Ideen . . .“

Er macht in seiner ohnmächigen Wut eine unvorsichtige Bewegung und stöhnt schmerzerfüllt auf: „Oooh . . .“

Wortlos geht er dann der Bäuerin nach, nur ein letzter sprechender Blick auf den vergnügten Freund verheißt diesem die später fällige todsichere Revanche. Die beiden sind es von jeher gewöhnt, sich gegenseitig nie etwas schuldig zu bleiben.

Wenige Minuten danach schon liegt der arme Traubenlastträger total erschöpft in einem hochgetürmten Federbett, mehr tot als lebendig. Er kann sich kaum rühren, alle Knochen tun ihm weh. In seinem wuterfüllten Schädel kreisen rachelüsterne Gedanken und lassen ihn vorerst nicht zur wohlverdienten Ruhe kommen. Er malt sich in unzähligen Einzelheiten aus, was alles ihm nun entgeht, während er hier auf seinem Schmerzenslager ausgestreckt ist, und das macht ihn noch elender. Es ist zum Tollwerden! Denn natürlich war die Behauptung, er mache sich absolut nichts aus dem Tanzen, kompletter Unsinn, geboren aus der Not des Augenblicks. Ganz im Gegenteil, er ist noch nie ein Kostverächter gewesen, nirgends, weder im Tanzsaal noch im Bett. Schließlich muß man als Künstler das pulsierende Leben eingehend kennenlernen. Woher sonst sollte der zündende Funke kommen, die notwendige Inspiration, wenn nicht aus eigenem Erleben? Um eine tiefgründige Menschenkenntnis zu erlangen, bedarf es des Umgangs mit allen Bevölkerungsschichten, und heute wäre eine gute Gelegenheit gewesen, einmal die bäuerlichen Kreise hierzulande eingehend zu betrachen und zu studieren, zu sehen, wie sie ihre Feste feiern und ob sie anläßlich der Weinlese überliefertes Brauchtum pflegen. Da wäre sicherlich viel Interessantes zu erleben gewesen, ein zärtliches Techtelmechtel mit einer willigen Dorfschönen vielleicht sogar eingeschlossen. Stattdessen liegt er hier zur Untätigkeit verdammt, quasi als Dank und Lohn für seine Schwerstarbeit den ganzen Tag über. Soll man sich da nicht ärgern? Ist es nicht, um aus der Haut zu fahren? Hätte er doch diese dämliche Kiepe auf den blanken Boden gestellt und wäre seiner Wege gegangen!

Er flucht höchst lästerlich auf das bestehende Weltall im gesamten und auf seine eigene Dummheit im besonderen, auf alle herumrasenden Autos und auf das launische gelbe seines Freundes am meisten, auf alle Reben und auf alle Weine, auf alle Berge und auf alle Täler, besonders die hier an der Mosel, und ganz zuletzt belegt er in Bausch und Bogen alle die hübschen Mädchen, mit denen er nun nicht tanzen und flirten kann, mit dem wenig schmeichelhaften Attribut: Gänse! So, denen hat er's jetzt gegeben!

Währenddessen herrscht im großen Saal des Gasthauses bereits Hochbetrieb mit einer fast beängstigenden Fülle. Da ist bei dem fröhlichen jungen Volk nichts zu merken von irgendwelchem Ruhebedürfnis nach dem langen und anstrengenden Arbeitstag. Unentwegt drehen sich die Paare zu den lockenden Klängen der Musik, die flinken Füße stehen kaum einen Augenblick still. Die Jugend verlangt eben ihr Recht, in diesem Fall den ihr gebührenden Anteil am Fest der Lese.

Hermann sieht von allen anwesenden Weiblichkeiten, sie mögen noch so charmant sein, nur Lisa, und er tanzt fast ausschließlich nur mit ihr. Sie liegt wie eine Feder in seinem Arm und reagiert geschmeidig auf jede Nuance seiner Führung, als wären sie zusammen eingetanzt seit langer Zeit. Sie bewegt sich graziös und leicht, eine geradezu ideale Partnerin. Es verdreht ihm zusätzlich seinen armen Kopf.

Gelegentlich, wenn ihm ein anderer „sein Mädchen", wie er Lisa bei sich schon nennt, wegengagiert, nimmt er sich natürlich eine andere Partnerin. Er wählt dann unter den anwesenden Schönen nicht erst lange aus, sondern er greift sich die erste beste, ohne freilich zu ahnen, wie sehr er manches Mauerblümchen mit seiner Aufforderung zum Tanz beglückt. Ihm selbst ist es vollkommen egal, wie diese Lückenbüßerin aussieht, er will nur nicht allzusehr auffallen in diesem Kreis, in welchem von den Dorfbewohnern jeder jeden kennt.

Im Lauf des Abends ziehen sich allerdings die jungen Männer mehr und mehr von Lisa zurück, es ist wie ein stillschweigendes, jedoch faires Abkommen zwischen ihnen. Sollte dieser Fremde da, den man noch nie hier im Ort sah, schon

gewisse Rechte auf das Mädel haben? Man wispert und tu-
schelt und fragt, aber niemand ist genau im Bilde. Es sieht
indessen ganz so aus, denn seine Augen folgen Lisa unentwegt,
solange sie mit einem andern tanzt. Dann bitte, sie wollen
keine Spielverderber sein! Auch andere Mütter haben schöne
Kinder, sogar ganz reizende und liebe Kinder, es herrscht zum
Glück kein Mangel hier an netten jungen Mädchen. Dazu
kommt noch, daß Lisa — nach Landesbrauch der wohlhaben-
deren Kreise — ein Jahr lang in einem Mädchenheim Schliff
beigebracht bekam. Sie ist erst seit kurzem wieder zu Hause.
Das hat eine leichte Entfremdung bei der gleichaltrigen Jugend
bewirkt, sie ist noch nicht wieder voll aufgenommen in deren
Gemeinschaft. So etwas braucht nun einmal seine Zeit.

Der alte Schweitzer schaut nur ab und zu in das Getümmel
des Tanzsaals hinein, er hat andere Interessen. Aber wann
immer er ein Auge auf die vergnügte Jugend riskiert, stets
sieht er seine Tochter in den Armen seines freiwilligen Hel-
fers tanzen. Sie harmonieren gut zusammen, diese beiden, sie
sind beinahe gleich groß, ein schönes Paar. Es gefällt ihm.
Zufrieden pafft er gewaltige Rauchwolken aus seiner Zigarre
und schmunzelt vor sich hin. Seine Tochter! Seine Lisa! Sie
hat sich sehr herausgemacht im vergangenen Jahr, und sie ist
hübsch geworden. Er ist stolz darauf, daß sie eine Eroberung
gemacht hat. Die mißbilligenden Blicke besonders der wenigen anwesenden Frauen der älteren Generation übersieht er
voll Verachtung. Sind doch nur neidisch, diese Weibsen!

Er schlendert gemächlich und befriedigt ins Nebenzimmer
zurück, an den Tisch der reiferen Jugend, die nicht mehr das
Tanzbein schwingen will. Er ist mit sich und mit Gott und
der Welt im reinen. Der Wein wird gut werden in diesem
Jahr, das steht fest, die Fässer werden voll sein, das steht
ebenfalls fest. Also ist in seinem ureigensten Bereich das
Wichtigste in bester Ordnung. Ausgeschlossen, daß ihn dann
unwesentlicher Kleinkram noch in Harnisch bringen könnte!

Vater Schweitzer läßt seine zwei Zentner Lebendgewicht
schwer auf seinen Stuhl krachen und greift durstig zum Glas.
Für ihn ist der Wein nicht nur Existenzgrundlage, er ist
ebenso sein Lebenselixier. Auch der in der Flasche da vor

ihm auf dem Tisch war ein gesegneter Jahrgang, das weiß Gott! Und der heute gekelterte Most wird mindestens einen genauso exquisiten Tropfen abgeben. Schon ist die gesamte Runde wieder beim alten, ewig neuen, ewig aktuellen Thema, das niemals langweilig wird, das endlos diskutiert werden kann und doch nie zu erschöpfen ist: beim Wein!

Darüber vergehen mehrere Stunden, und langsam wird es Zeit zum Aufbruch. Auch morgen ist wieder ein gerütteltes Maß an Arbeit zu bewältigen. Der alte Winzer zahlt die Zeche und sieht sich nach seinem jungen Paar um. Er ist mit seinen beiden unvermutet hereingeschneiten Arbeitskräften heute sehr zufrieden gewesen, sie haben sich angestrengt, sie haben getan, was sie als Städter tun konnten, alles was recht ist. Und da der eine von ihnen bereits erschöpft im Bett liegt, häuft er auf den andern das eigentlich beiden zukommende Wohlwollen allein. Hermann ist sehr glücklich darüber, und auch Lisa scheint es nicht ungern zu sehen, wenn sie auch sittsam ihre Hand zurückzieht, als er sich heimlich einen etwas herzhafteren Druck erlaubt. Nanu, ist sie wirklich so zimperlich oder spielt sie nur die prüde Maid?

In Anbetracht des zu erwartenden guten Jahrgangs und des damit verbundenen ansehnlichen Gewinns gerät Vater Schweitzer in Spendierlaune. Obendrein ist er leicht angesäuselt, denn bei einer einzigen Flasche war es natürlich nicht geblieben. Mit einem Wort, er ist in seliger Stimmung.

„Wenn Ihnen unser Moselland gefällt und Sie sich's gern ein wenig länger ansehen wollen, dann seien Sie für einige Tage unsere Gäste. Meine Frau und ich, wir haben gern Jugend im Haus und Betrieb."

Donnerwetter, das ist ja ein toller Vorschlag! Im ersten Moment ist Hermann sprachlos vor Überraschung, soviel Entgegenkommen konnte er nicht erwarten. Dann beeilt er sich freudestrahlend, dieses großzügige Anerbieten anzunehmen, natürlich auch im Namen seines abwesenden Kameraden.

„Herzlichen Dank! Das ist ja eine noble Einladung! Wir bleiben natürlich gern. Mein Freund wird nicht schlecht staunen, wenn er morgen früh diese Neuigkeit erfährt. Die Gegend ist so schön und gefällt uns beiden ganz ausgezeichnet, und Fred als Maler sucht doch immer Motive für seine Bilder."

Seine flinken Augen stellen mit einem huschenden Seitenblick auf Lisa befriedigt fest, daß ihre ohnehin schon recht frischen roten Wangen sich bei den Worten ihres Vaters noch um eine Nuance tiefer gefärbt haben. Ihre ablehnende Unzugänglichkeit bei seinem etwas kühnen Händedruck vorhin wird dadurch ungewollt Lügen gestraft. Na warte nur, mein Herzchen!

Als Hermann am nächsten Morgen nach dem gesunden und traumlosen Schlaf der Jugend die beiden Fensterflügel des Gastzimmers weit aufstößt, kämpfen sich gerade die ersten Strahlen der Sonne siegreich durch den wogenden Frühnebel. Hinter dem perlgrauen Dunst ist schon wieder die reine Bläue eines wolkenlosen Himmels erkennbar. Sie verheißt den gleichen herrlichen Oktobertag wie gestern. Wie schön! Solch einen goldenen Herbst gibt es selten.

In seliger Verliebtheit dehnt der junge Mann beide Arme weit in die köstliche Morgenkühle hinein. Die frische Luft trifft sein schlaftrunkenes Gesicht und tut ihm wohl, er schlürft sie mit Behagen. Wie wunderbar war doch der gestrige Abend! Ihn durchströmt eine ungestüm prickelnde Kraft, ein frohlockendes Gefühl beschwingter Erwartung.

„Herrgott, ist das Leben schön!"

Er ruft es laut und unbekümmert, es bricht gleichsam vor überquellender Lebensfreude aus ihm heraus. Er könnte prompt vor lauter Seligkeit die ganze Welt umarmen.

In dem zweiten Bett hinter ihm fängt es endlich an, sich zu rühren. Ein verschlafenes Gesicht unter einem verwirrten Haarschopf hebt sich verständnislos aus den zerwühlten Kissen.

„Was ist los?" fragt der eben erwachte Freund noch benommen und erst mühsam sich zu vollem Bewußtsein sammelnd. „Wo bin ich überhaupt?"

„Mann, werd erst mal richtig wach! Du hast geschlafen wie ein Murmeltier."

„Was hast du da vorhin gesagt? Mir war so . . ."

Fred sucht immer noch seine verheddelten Gedanken zu

entwirren, während Hermann sich wieder der morgenfrischen Natur zugewandt hat, die entschieden einen erfreulicheren Anblick bietet.

„Mir tun einfach alle Knochen weh!"

Etwas anderes vermag der lange Maler noch nicht zu denken und nicht zu erfassen. Sein Muskelkater ist von erstklassiger Qualität.

Hermann fährt wütend herum.

„Das hast du dir selbst zuzuschreiben. Warum läßt du dich auf so etwas ein? Es war sonnenklar, daß du die Überanstrengung würdest büßen müssen."

„Die Leute standen alle herum und gafften . . ."

„Aha, und da wolltest du ihnen zeigen, daß du ein Mann bist! Also dein falscher Stolz hat dich soweit gebracht. Warum hast du die Leute nicht ruhig gaffen lassen? Warum hast du ihnen nicht einfach gesagt: Malt Ihr doch einmal ein schönes Bild! Das hätten die dann nicht fertiggebracht. Jeder kann das Seine! Bin ich darum weniger wert, wenn ich eine andere Arbeit, die ich nicht gelernt habe, nicht machen kann? Nur wenn ich gar nichts tue, tauge ich nichts."

Ein abgrundtiefer Seufzer ist die einzige Antwort. Schmerzen werden keineswegs besser durch die Erkenntnis, daß man sie der eigenen Dummheit und seinem falschen Stolz zuzuschreiben hat. Aber dafür rastet bei Fred ein anderer Gedankengang endlich ein. Hartnäckig fragt er zum zweitenmal:

„Was hast du vorhin gesagt?"

Hermann antwortet zum Fenster hinaus.

„Das Leben ist schön, habe ich gesagt, der Morgen ist schön . . . und das Mädel ist schön . . ."

Das Letzte kommt leiser, mehr für sich selbst gesprochen, aber Fred hat ganz ausgezeichnete Ohren, er hat es trotzdem verstanden. Er ist jetzt hellwach geworden und merkt sofort, da ist wieder einmal Gefahr im Anzuge, er kennt das schon. Wie oft hat er das in der letzten Zeit erlebt! Da hilft nur eins, um Gotteswillen schleunigst fort von hier. Nun heißt es, ohne den geringsten Zeitverlust handeln. Entschlossen angelt er seine haarigen Beine aus der molligen Bettwärme heraus, so schnell es seine infamen Schmerzen zulassen.

„In einer Stunde fahren wir, Hermann. Anderswo ist die Welt genauso schön."

Ein schallendes Lachen ist zunächst die einzige Reaktion auf seinen Vorschlag, und es dauert lange, bis der Freund sich zu einer Erklärung seiner unverständlichen Heiterkeit herabzulassen geruht.

„Nimm bitte zur Kenntnis: vorerst bleiben wir hier, mindestens noch drei bis vier Tage."

„Wieso?"

„Das will ich dir gerade erklären, wenn du mich zu Wort kommen läßt. Also: der Abend gestern war riesig nett und gemütlich, wirklich schade, daß du nicht dabei sein konntest."

„Zerfließe nicht aus Mitleid, es steht dir nicht. Außerdem ist es nicht echt."

„Ausnahmsweise war es das gerade doch. Aber weiter! Der alte Schweitzer war auf dem Nachhauseweg in ganz glänzender Stimmung, voll des süßen Weines, möchte ich sagen. Er hat uns eingeladen, noch hier zu bleiben und uns die schöne Gegend anzusehen, quasi als Äquivalent für unsere tatkräftige Hilfe bei der Weinlese. Soviel Entgegenkommen kann man doch nicht unhöflich zurückweisen. Also habe ich die Einladung angenommen, auch in deinem Namen."

Der dürre Maler ist aufs tiefste empört über soviel Eigenmächtigkeit.

„Wie kannst du einfach über meinen Kopf hinweg verfügen, ich bin doch schließlich kein kleines Kind ohne eigenen Willen."

„Deinen überanstrengten Knochen würde aber die Ruhe auch guttun."

„Was du nicht sagst! Jetzt stell' es bitte nicht so hin, als wenn du in der Hauptsache meinen Knochen zuliebe hierbleiben wolltest! Auf jeden Fall: ich denke nicht daran, so lange in diesem elenden Nest zu bleiben."

Sein heftig aufwallender Ärger macht auf den frohgemuten Kameraden nicht den geringsten Eindruck. An ihm prallt alles ab, was auch der Freund an Argumenten vorbringt, die gegen einen längeren Aufenthalt sprechen. Bis zu den Gefilden der Seligen, in denen er sich augenblicklich befindet, dringen weder Wutanfälle noch Schimpfkanonaden.

„Erstens einmal, mein Lieber, müßten deine gottbegnadeten Künstleraugen längst entdeckt haben, daß der Ort hier kein elendes Nest ist, sondern ein malerisch am Bergeshang klebendes, sich in den mattgrünen Moselwellen spiegelndes entzückendes Plätzchen, über dem der Duft, die Blume seines köstlichen Weines im Sonnenglanz schwebt . . ."

„Du bist verrückt geworden", stellt Fred kalt und sachlich fest, während er entschlossen den Rasierapparat zückt. Es wird eine mühsame Rasur, denn er unterbricht sie alle Augenblicke, um neue triftige Gründe gegen das Dableiben aufs Tapet zu bringen.

Jedoch kein Zureden hilft, keine Warnung verfängt, Hermann ist blind und taub allen noch so gut gemeinten Ratschlägen gegenüber. Und wenn die Welt darüber in Trümmer ginge, ihn halten zwei rehbraune Augen fester, als tausend zusammengeknotete Stricke es vermöchten.

Den hat es erwischt! Fred seufzt aus Herzensgrund und gibt vorläufig auf. Den hat es schlimmer erwischt als jemals zuvor! Er kennt sich aus. Wie oft hat er schon ähnliche Situationen erlebt, der Freund ist einfach unverbesserlich.

„Ich sehe dich mit offenen Augen in dein Unglück rennen", prophezeit er abschließend, es klingt düster wie eine Prognose ohne jede Hoffnung.

„Ist Liebe ein Unglück?" fragt Hermann streitlustig dagegen.

„Nur zu oft", kommt die lakonische Antwort, „wenn sie von einem Tag auf den andern einen normalen Menschen seines gesunden Verstandes beraubt."

Dieser seiner ablehnenden Einstellung zum Trotz erweist sich Fred eine Stunde später, wenn auch widerwillig, als wahrer und toleranter Freund.

Nach einem ebenso nahrhaften wie gemütlichen Frühstück mit ihren Gastgebern brechen die beiden jungen Leute gemeinsam mit Lisa zu einem Morgenspaziergang auf.

Kaum außer Sichtweite des Hauses bleibt Hermann plötzlich stehen, faßt sich an die heftig gerunzelte Stirn, als falle ihm aus heiterem Himmel etwas ungemein Wichtiges ein, und sagt dann mit aufmunterndem Augenzwinkern zu dem ahnungsvollen Maler:

„Du wolltest doch gestern übersetzen und drüben auf dem andern Ufer Motive suchen. Wozu hast du auch sonst dein Skizzenbuch mitgenommen? Sieh mal die vier hohen Pappeln drüben über dem Fluß, wie dekorativ sie die Landschaft beleben. Laß dich durch uns nicht abhalten. Nicht zuletzt sind wir ja deiner Kunst wegen in diese Gegend gekommen."

Fred ist durchaus nicht auf den Kopf gefallen, außerdem erlebt er solches weiß Gott nicht zum ersten Mal. Also bestätigt er mit gebührender Dankbarkeit das liebenswürdige Erinnern seines Kameraden, verspricht pünktlich zum Mittagessen zurückzukommen und verabschiedet sich eilig, wohl oder übel den Weg zur nächsten Fähre einschlagend. Vorher allerdings, als Lisa sich schon bergaufwärts abgewandt hat, um verschämt ein freudiges Erröten zu verbergen, tippt er sich mit nicht mißzuverstehender Gebärde an die Schläfe. Hermann zuckt darauf mit überlegenem Grinsen die Achseln, und nach dieser stummen und trotzdem vielsagenden Zwiesprache trennen sie sich endgültig.

Die steilen Gehwege zwischen den Rebstücken des Moselgaues sind meist schmal. Der Boden ist zu kostbar, um der Bequemlichkeit der Menschen dienen zu können, hier regiert allein der Wein. Die Rebstöcke stehen wie Soldaten in Reih' und Glied.

So ist es stellenweise unmöglich, zu zweit nebeneinander zu wandern, wenn man nicht auf der Fahrstraße bleiben will, und Lisa geht voran. Das erschwert zwar in unliebsamer Weise die Unterhaltung, dafür aber kann Hermann die schlanke Gestalt seiner Begleiterin bewundern, die hohen Beine, den elastischen Gang, den leicht gesenkten lockigen Kopf. Ein Prachtmädel ist das! Mit Kennerblicken registriert er alles von oben bis unten, vom hübschen Haaransatz im Nacken bis zu den zierlichen Fesseln über den modischen Sportschuhen.

Das lebende Bild da vor ihm befriedigt ihn ungemein, und

seine Stimmung könnte gar nicht beschwingter sein. Endlos möchte er so mit Lisa weiterlaufen, mit dieser Wärme im Blut, erfüllt von einer nie empfundenen Seligkeit. Seine ganze bisherige Welt mit all ihren Wünschen und Problemen und Erwartungen ist plötzlich nicht mehr da, sondern einfach ins Nichts versunken. Es gibt nur noch sie beide, zwei junge Menschen auf einem sonnigen Morgenspaziergang unter azurblauem Himmel. Zwei junge Menschen, die sich gestern um dieselbe Zeit noch fremd waren und heute vertraut sind miteinander wie langjährige Bekannte.

Ob der insgeheim revoltierende Reisekamerad tatsächlich den weiten Weg bis zur nächsten Fähre laufen wird? Im Sturmschritt mit seinen langen Beinen vor lauter unterdrückter Wut? Auf jeden Fall hat er seinen heimlichen Groll tapfer hinuntergewürgt und seinen schmerzhaften Muskelkater heroisch unterdrückt. Er ist kein Spielverderber, das ist die Hauptsache.

Am liebsten würde Herman jetzt das bezaubernde Wesen da vor ihm ohne langweilige Präliminarien in seine Arme nehmen und herzhaft küssen. Das verbietet natürlich die gute Sitte. Er weiß doch, was sich gehört, wenn es auch manchmal schwerfällt, diesem Wissen entsprechend zu handeln. Außerdem ist er klug genug zu erkennen, daß ihm hier keine billige Eroberung glücken würde. Eher könnte ihm eine saftige Ohrfeige blühen, wenn er nicht anständige Zurückhaltung wahrte. Das junge Mädchen scheint ihm sehr selbstsicher und keinesfalls dumm, zudem hat es Humor und eine angeborene Schlagfertigkeit, wie das lustige Geplänkel am gestrigen Tag bewies. Lisa ist ihm keine Antwort schuldig geblieben. Sie lacht gern und von Herzen kommend, aber hier gilt es, mit feinem Gespür zu unterscheiden zwischen leichtem Sinn und Leichtsinn. Ein fröhliches Menschenkind mit optimistischer Lebensauffassung ist noch lange kein leichtfertiges Luderchen.

Aus dieser Erkenntnis heraus macht er also pflichtschuldigst Konversation, wie sie zu Beginn einer Bekanntschaft am Platz ist.

„Fred und ich kennen uns vom Spielen im Sandkasten an,

wir waren ganze drei Jahre alt. Er hat mir dort einmal sein blaues Schippchen auf den Kopf gehauen und einen vollen Eimer Sand auf mich ausgeleert, dafür habe ich ihn in die Backe gebissen. Daraufhin brüllten wir alle zwei um die Wette, daß die ganze Nachbarschaft zusammenlief. So hat unsere Freundschaft angefangen."

Weiter erzählt Hermann von seiner unbeschwerten Kindheit, „viel glücklicher, als Fred sie hatte", von den gemeinsamen Jugendstreichen während der Schulzeit, von einigen Reisen mit dem Freund im geliebten gelben Auto, von den eigenwilligen Bildern des Malers, die nicht selten das sprachlose Entsetzen der gutbiederen Verwandtschaft hervorrufen.

„Dabei gehört Fred nicht einmal zu den ganz Modernen. Aber die Gegensätze sind allzu groß. Auf der einen Seite das erzkonservative kleinliche Bürgertum, dem eine Farbenpalette schon unmoralisch erscheint und in dessen Augen ein Künstler nur ein lasterhafter Mensch sein kann. Auf der anderen Seite ein junger Mann, ganz auf sich allein gestellt, der wohl von seiner Begabung überzeugt ist, aber schwer arbeiten und kämpfen muß. Übrigens fängt er gerade an, sich mit seiner Graphik durchzusetzen."

Der Gesprächsstoff geht Hermann nicht aus, und er freut sich über Lisas Interesse und über ihr reizvolles fröhliches Lachen, bei dem sie zwei makellose Zahnreihen sehen läßt. Sie ist eine ausgezeichnete Zuhörerin und spricht selbst nicht allzuviel.

„Was gibt es schon von mir zu berichten", weicht sie seiner Bitte aus, von sich und von ihrem Leben zu erzählen. „Was passiert hier schon groß! Wie das an kleinen Orten so üblich ist, treibt der Klatsch die schönsten Blüten. Die Angelegenheiten der lieben Nächsten müssen oft als Unterhaltungsstoff herhalten, weil sonst nichts Bemerkenswertes geschieht."

„Klatsch ist ein Ausdruck des menschlichen Kommunikationsbedürfnisses, hat einmal irgendein sehr geistreicher Mann gesagt. Ich könnte mir vorstellen, daß ein wenig Klatsch, mit Maßen natürlich, gemischt mit einem Quentchen Schadenfreude über kleine Pannen beim lieben Nachbarn, einen langweiligen Regensonntag überbrücken hilft."

Wieder antwortet ihm dieses hinreißende, von Herzen kommende Lachen, auf das er nun schon immer wartet. Zum Schluß landet auch ihr Gespräch, wie könnte es anders sein, beim Wein, dem traditionellen Thema, das sich in dieser gottbegnadeten Landschaft stets von neuem anbietet.

„Die charakteristischen Bukettmerkmale eines Weines muß man mit Nase und Zunge genießen", doziert die erfahrene Winzerstochter weise.

„Und wie kann das Ergebnis sein?" stellt Hermann sich unwissend. Woraufhin Lisa aufzuzählen beginnt, um den armen Unkundigen eingehend zu informieren.

„Edel, blumig, mundig . . ."

„Vollmundig", übertrumpft er sie unerwartet und erntet dafür einen erstaunten Seitenblick. Aber unbeirrt fährt sie mit der Aufklärung fort.

„Aromatisch, rund, lieblich . . ."

„Feinlieblich", überbietet sie ihr angeblich so ahnungsloser Begleiter zum zweiten Mal.

Ihre Augen werden groß und rund, aber noch gibt sie sich nicht geschlagen.

„Gefällig, würzig, voll . . ."

„Mittelvoll", präzisiert Hermann diesmal gewissenhaft.

„Jetzt wird es mir aber zu bunt!"

Entschlossen bleibt Lisa stehen und blitzt ihn entrüstet an.

„Sie haben mich angeschwindelt! Sie haben getan, als hätten Sie keinen Schimmer von den Qualitäten der Weine."

„Eins zu eins", stellt der Gescholtene sachlich und trocken fest und schaut ihr mit triumphierendem Stolz in die blitzenden Augen. Seine kleine Revanche für ihre gestrige Heimlichtuerei hat nicht lange auf sich warten lassen.

Lila sagt zunächst gar nichts, sondern dreht sich um und geht ruhig und gleichmäßig weiter. Sie fixiert dabei einen imaginären Punkt in der Ferne, und Hermann kriegt es plötzlich mit der Angst. Um Gottes Willen! Sie wird doch nicht zu den unsympathischen Leuten gehören, die zwar andere liebendgern auf die Schippe nehmen, aber einen Scherz auf ihre eigenen Kosten unweigerlich nachtragen. Na, das wäre . . . Aber das darf einfach nicht wahr sein!

Da sieht er bei vorsichtigem Beobachten, wie sie mühsam ihren Übermut in den zitternden Mundwinkeln zurückhält, und er begreift: sie läßt ihn absichtlich ein bißchen zappeln. Ein Zentnerstein fällt ihm vom Herzen. Das ist ja ein ganz durchtriebener Racker!

Zum guten Ende lachen sie sich beide fröhlich an, zwei Gleichgesinnte haben sich gefunden und, was mindestens ebenso wertvoll ist wie die übereinstimmende Gesinnung, sie sind einander ebenbürtig an Geist und Witz.

„Ich werde Sie jetzt testen, wie weit Ihre Kenntnisse reichen", bestimmt das Mädchen ausgelassen, und er ist natürlich mit diesem Examen einverstanden. Der lustige Krieg geht weiter, nun werfen sie sich die Attribute zu wie Jongleure ihre Bälle.

„Kernig."

„Kräftig."

„Fruchtig."

„Rassig."

„Nervig."

„Samtig."

„Süffig."

„Elegant."

„Der Wein hat eine Blume."

„Der Wein hat einen Schwanz."

Lisa muß sich geschlagen geben. Es ist ihr tatsächlich nicht gelungen, ihren Begleiter in die Enge zu treiben.

Bei diesem lustigen Geplauder verrinnt die zur Verfügung stehende Zeit nur allzu rasch.

Als die beiden schon wieder abwärts gehen, dem Schweitzerschen Haus zu, lädt Hermann seine vergnügte neue Freundin zu einer kleinen Spazierfahrt am Nachmittag ein. Schließlich muß sie doch seinen gelben Wagen kennenlernen, seinen Glücksbringer mit der kupplerischen Ader, der nun längst wieder fahrbereit sein wird.

„Ich möchte unter sachkundiger Führung mit der schönen Mosellandschaft vertraut werden."

Zu seiner Enttäuschung wiegt das Mädchen bedenklich den Kopf mit den braunen Locken.

„Ich habe jetzt schon ein schlechtes Gewissen, weil ich meine Mutter mit ihrer vielen Arbeit alleingelassen habe, aber sie hatte mir selbst zugeredet, mit spazierenzugehen. Sie ist so gut! Sie will nicht haben, daß ich in meinem Leben so andauernd eingespannt werde wie sie von Jugend auf. In ihrer Generation gab es nur Arbeit und wieder Arbeit, ein Verschnaufen bedeutete Faulenzen. Ich fände es nicht fair, am Nachmittag wieder wegzulaufen. Trotzdem ... eine kleine Spritztour würde mich reizen, ich komme nicht viel hier raus."

Hermann bleibt vor Erstaunen stehen.

„Sie kommen nicht viel hier raus? Wie soll ich das verstehen? Ich sah doch heute früh einen dunkelgrünen Mercedes vorm Haus."

„Der gehört nicht uns, sondern dem Tierarzt. Der ist ein alter Zechkumpan meines Vaters und, was weitaus wichtiger ist, ein guter Kunde obendrein."

„Und Ihr Vater hat keinen Privatwagen?"

Das ist schlichtweg unverständlich. Das ganze Schweitzer'-sche Anwesen vermittelt innen und außen den Eindruck eines gewissen Wohlstandes, und der Lebensstil ist nicht der armer Leute.

Dennoch schüttelt Lisa auf seine Frage verneinend die lockige Mähne.

„Nein, wir haben nur einen Lieferwagen fürs Geschäft. Mein Vater darf nicht selbst fahren, er hat zu schlechte Augen, er wäre also immer abhängig von einem Chauffeur. Und wenn er etwas haßt in seinem Leben, dann ist es die Abhängigkeit von anderen Menschen."

„Auch von seiner eigenen Tochter?"

Lisa erfaßt nicht gleich, wie das gemeint ist. Mit fragendem Blick schaut sie ihren Begleiter an.

„Ich meine, wenn die Tochter fahren könnte", erläutert er seine Ansicht.

Jetzt blitzen die übermütigen Augen ihn unternehmungslustig an.

„Leider war der Erwerb des Führerscheins nicht auf dem Ausbildungsprogramm des Internats vorgesehen, aus dem ich gerade komme. Obwohl er doch heute beinahe obligatorisch dazugehört. Auf jeden Fall steht das Autofahren an allererster Stelle auf der langen Liste dessen, was ich noch zu lernen habe."

„Dann schlage ich vor, ich bereite Sie am heutigen Nachmittag auf die erste Fahrstunde vor, dann ist unser kleiner Ausflug keine reine Vergnügungsfahrt. Es kann niemals schaden, wenn man schon einige Grundkenntnisse mit in den Unterricht bringt."

Lisa lacht schallend auf, sie amüsiert sich köstlich.

„Sind Sie immer so diplomatisch?"

Herrgott, wie leuchten diese rehbraunen Augen! Wie blühen diese kirschroten Lippen! Hermann braucht seine ganze Selbstbeherrschung, in scheinbarer Seelenruhe das lustige Wortgeplänkel weiterführen zu können.

Sie kommen etwas zu früh in die Nähe des Hauses. Unauffällig bremst er das Tempo nach einem raschen Blick auf seine Armbanduhr. Keine Minute der genehmigten Freizeit, die durch Freds wenn auch widerwillige Gefälligkeit zu solch beglückender Zweisamkeit wurde, will er verschenken.

Auf einem sonnenbeschienenen Mäuerchen in der Nähe des Schweitzer'schen Gartens liegt Mohrchen, der kleine Hauskater, und genießt die Mittagswärme. Er führt seinen Namen mit vollem Recht, denn das ganze Körperchen ist kohlrabenschwarz bis auf ein winziges weißes Fleckchen, das wie eine hingewehte Schneeflocke auf der äußersten Schwanzspitze sitzt. Als er seine geliebte Herrin erkennt, steht er sofort auf, macht seinen schönsten Buckel und kommt mit einem höflichen Miau zur Begrüßung näher, liebkosend dann an Lisas Beinen entlangstreichend. Sie nimmt das verwöhnte Tierchen vom Boden auf und drückt es zärtlich an sich, und mit einem halblauten „Wir haben noch Zeit" setzt sie sich selbst auf die sonnenwarme Mauer und bettet die Katze auf ihren Schoß.

Lange schaut Hermann schweigend auf das liebliche Bild hinunter, er kann sich nicht sattsehen daran.

Umrahmt von rotgoldenen Ranken wilden Weins, ist es ein idyllischer Anblick, wie ihn eine Großstadt allerhöchstens noch an ihrer äußersten Peripherie zu bieten hat. Gesetzt jedoch den Fall, ein solches Bild fände sich tatsächlich dort noch irgendwo, würden sich die gehetzten Menschen überhaupt die Zeit nehmen, es zu betrachten? Würden sie ihre hektische Jagd nach Geld und Erfolg oder ihre kilometerfressende Raserei unterbrechen, um nichts anderes anzuschauen als eine idyllische kleine Szene am Straßenrand? Ach, müßige Gedanken!

Der bezauberte junge Mann läßt sich endlich neben dem Mädchen nieder. Wie schwarzer Samt glänzt das seidige Fell des zufriedenen Mohrchens, das wohlich schnurrend der Umgebung sein Behagen mit der augenblicklichen Situation kundtut. Das ist so ungefähr alles, was Hermann über Katzen weiß: sie schnurren, wenn sie glücklich sind; sie kratzen, wenn sie zornig sind.

„Für diesen winzigen Körper ist das Schnurren ein unwahrscheinlich lautes Geräusch, für mich ein kleines Wunder. So stark hatte ich es noch nie gehört."

Das Landkind lächelt leise.

„Hatten Sie es überhaupt jemals gehört, in der Stadt?" Hermann überlegt verblüfft.

„Sie mögen recht haben, vielleicht kenne ich es wirklich nur vom Hörensagen. Sie sind hier draußen auf dem Land der Natur und ihren Geschöpfen soviel näher. Können Sie mir darum vielleicht auch erklären, wie das Schnurren der Katzen zustande kommt?"

„Bedaure, nein, das kann ich leider nicht! Und soviel ich weiß, sind sich sogar die Gelehrten noch nicht darüber einig, welcher Apparat im Katzenkörper das bewirkt. Aber muß man denn immer alles so ganz genau verstehen und ständig nach dem Warum und Wieso und Weshalb fragen? Überlassen wir das lieber den dafür zuständigen Wissenschaftlern, die aus dem Forschen ihre Lebensaufgabe machen. Ich für mein Teil finde es viel wichtiger, nicht achtlos an den Schönheiten des Lebens vorbeizugehen, den großen und den kleinen. Sie glauben nicht, wie ich mich im Frühjahr über das erste Veilchen freuen kann, das ich auf der Wiese im Freien finde."

Beneidenswert zufriedenes junges Menschenkind! Darauf gibt es eigentlich nichts zu erwidern, es würde nur die beglückende Harmonie des Augenblicks stören.

In den wenigen Minuten gemeinsamen Schweigens, auf dem Umweg über das samtige Fell eines schnurrenden Kätzchens, kommen sich zwei junge Herzen nahe.

Bisher konnte Hermann Katzen nicht leiden, er nannte sie bei sich stets hinterhältige Leisetreter.

Nun sieht er ein, sie haben auch gute Seiten, denn Mohrchen hält schön still, als sich zu der sanft und zärtlich über seinen kleinen Rücken gleitenden Hand eine zweite kräftigere gesellt, die vielleicht aus bloßem Versehen, wer kann das so genau wissen, nicht nur die weichen Katzenhaare streichelt, sondern auch die rosige Mädchenhand und endlich sogar auf ihr liegenbleibt.

Drei sonnenselige Oktobertage verfliegen pfeilgeschwind. In ihrem Ablauf wechseln fröhliche Wanderstunden mit kurzen Autofahrten moselauf- oder -abwärts. Für die beiden interessierten Fremden gibt es so vieles kennenzulernen, und gerade jetzt, wo das sommerliche Grün der bunten Palette des Herbstes weichen mußte, ist die Landschaft bezaubernd schön.

Gelegentlich kann Lisa auf einer Spazierfahrt einen eiligen Auftrag für ihren Vater erledigen, dann braucht er keinen Brief zu schreiben, was er so ungern tut. Außerdem sehen die Leute dann gleich, wie hübsch seine einzige Tochter im Lauf der Jahre geworden ist und wie ungezwungen im Umgang mit den Menschen, wie gewandt in der Unterhaltung und wie anstellig für alles Geschäftliche. Das ist ihm sehr wichtig und erfüllt ihn mit entsprechendem Stolz. Jetzt lernt sie auch noch fahren — wie praktisch!

Wie Hermann sehr richtig voraussah, hat Vater Schweitzer nichts gegen diesen allerersten Fahrunterricht einzuwenden. Ganz im Gegenteil, er sieht ein, das Mädel paßt in die heutige Zeit. Voller Vorfreude sieht er sich jetzt schon im eigenen eleganten Personenwagen bei seinen Geschäftsfreunden aufkreuzen, er schwankt nur noch zwischen dunkelrot und hellbeige. Das wird doch einen anderen Eindruck machen als bisher, wo er in dem ewig staubigen Lieferwagen mitfuhr, neben dem Anton in seiner ewigen grauen Kutte. Einmal müßte doch solch eine Kutte frischgewaschen sein, aber das hat merkwürdigerweise noch nie jemand erlebt. Nichts in allem übrigen gegen den Anton! Er ist ein nicht zu ersetzendes und schier unbezahlbares Faktotum des Hauses, ein stets williger Helfer mit überaus geschickten Pfoten, die so ungefähr alles zu basteln und zu reparieren vermögen. Nur eben repräsentativ ist der Anton wirklich nicht!

„Fahrt ihr nur los, und viel Vergnügen!"

Gutgelaunt winkt der stolze Vater beim Start dem jungen Völkchen nach. Allerdings hat er keine blasse Ahnung, wie oft der lange dürre Malersmann Motive suchen gehen muß, merkwürdigerweise immer gerade in entgegengesetzter Richtung oder gar auf dem anderen Moselufer.

Einmal jedoch läßt Fred sich nicht abhängen, bei aller bisher bewiesenen Gutmütigkeit nicht.

Lisa hat in Cröv eine dringende Bestellung bei einem alten Kunden auszurichten und befürchtet, länger als sonst aufgehalten zu werden. Diese Zeit will Fred nützen, um einige Geschenke für seine Eltern zu besorgen. Er ist von einer rührenden Anhänglichkeit an die alten Leutchen, und niemals versäumt er, ihnen von seinen Reisen etwas mitzubringen. Er kauft erstklassige Zigarren für seinen Vater, die dieser sich nur nach dem sonntäglichen Mittagessen oder an besonderen Feiertagen zu genehmigen pflegt. Das Anrauchen wird dabei zu einem ebenso umständlichen wie andächtigen Zeremoniell erhoben. Die Mutter erhält ein Fläschchen ihres Lieblingslikörs, das sie sich selbst niemals leisten würde und das sie genäschig, Schlückchen für Schlückchen, heimlich wie eine Sünde zu genießen liebt. Da diese Gaben in ihren Augen sündhaft teuer sind, ein ausgesprochener Luxus, halten die Eltern ihren Sohn insgeheim für einen verkappten Millionär, der nur noch für die neugierige und mißgünstige Umwelt den unbemittelten Künstler spielt.

Nicht aus verlogener Arroganz, sondern einfach aus Liebe und Anhänglichkeit heraus und aus dem Bestreben, sie vor zusätzlichen Sorgen um seinetwillen zu bewahren, begeht Fred seinen kleinen Betrug, der ihn' des öfteren zwingt, eine sehr frugale Mahlzeit einzulegen und auf manche kostspielige Annehmlichkeit des Lebens zu verzichten.

„Sie haben viel Kummer meinetwegen, weil ich nicht gutbürgerlich sein kann wie sie. Warum also soll ich ihnen nicht wenigstens diese eine Illusion lassen?“ hat er gelegentlich geäußert. „Schließlich besteht das halbe Leben aus Illusionen, und sie würden aus all ihren Himmeln stürzen, wenn sie dahinterkommen würden, was für ein armer Hund ich in Wirklichkeit bin.“

Mit seinen diversen Päckchen unter dem Arm schlendert Fred zu dem wartenden Freund zurück, der sich in der Zwischenzeit im Ort umgesehen hat und nun wortlos auf ein überdimensionales Reklameschild deutet: Cröver Nacktarsch. Jeder Liebhaber eines guten Tropfens kennt die drastische Bezeichnung für dieses Moselgewächs und quittiert die einmalige Etikettierung mit einem vielsagenden Lächeln oder mit einem verständnisinnigen Schmunzeln, auf jeden Fall aber mit Humor. Nicht so der lange Maler! Er ist Ästhet bis in die äußersten sensiblen Fingerspitzen hinein. Für ihn ist es wie ein körperlicher Schmerz, diesen in seinen Augen ganz unmöglichen Namen überall als Aushängeschild lesen zu müssen. Denn das für ihn so anstößige Wort steht nicht nur an diversen Häusermauern, es prangt natürlich auch in den allergrößten Riesenlettern weithin unübersehbar am Berg, auf dem dieser Wein wächst, wie das ebenso anderwärts mit den bekannten Rebsorten üblich ist. Kein Reisender, ob vom Zug aus oder per Schiff, der nicht amüsiert von der bezeichneten Lage Kenntnis nimmt: soso, also dort oben reift der berühmt-berüchtigte Tropfen heran!

Fred ist entrüstet und läßt seinen Gefühlen freien Lauf.

„Wie mögen die Leute auf diese groteske Namensgebung gekommen sein? Ich kann so etwas nicht begreifen! Für den intimen Hausgebrauch kann sich ja jedermann nach Geschmack und Laune ausdrücken, fein oder unfein, ganz wie es ihm beliebt, aber in aller Öffentlichkeit?"

Der Freund lacht ihn einfach aus.

„Du stehst mit deiner schroffen Ablehnung bestimmt einsam auf weiter Flur, denn die Öffentlichkeit hat den Namen längst voll und ganz akzeptiert."

„Trotzdem, es bleibt mir unbegreiflich! Stell' dir doch einmal folgendes vor: eine festliche Tafel, belegt mit schimmerndem Damast, gedeckt mit edelstem Porzellan, kostbarem Silber und blitzendem Kristall. Als vornehmer Blumenschmuck vielleicht lila Orchideen mit zartem Grün. Dazu die Damen in großer Abendtoilette und die Herren in feierlichem Frack. Das Abendessen wird geradezu zelebriert, und dann kommt ein piekfeiner Ober und kredenzt Cröver Nacktarsch. Das ist doch einfach unmöglich, das ist ein Stilbruch!"

Nur eine blühende Künstlerphantasie vermag sich solcherart ein Bild ausmalen, bis in die äußersten Details hinein. Aber muß man darüber in Weißglut geraten? Hermann reißt der Geduldsfaden.

„Sei doch nicht so vollständig humorlos! Es kann ja nicht jeder Wein Liebfrauenmilch oder Himmelströpfchen heißen. Hauptsache ist, er hat Qualitäten, und die hat der hiesige bestimmt. Fröhliche Zecher trinken ihn überall gern, und das in deinen Augen so indezente Etikett stört sie dabei überhaupt nicht. Ich könnte mir sogar vorstellen, daß ganz im Gegenteil durch die pfiffige Bezeichnung die Stimmung zusätzlich angeregt wird. Außerdem mußt sogar du zugeben, daß die Cröver Weinbauern so taktvoll sind wie nur möglich. Denn immer ist es nur ein nackter Kinderpopo, der da abgebildet ist, und zudem: ein Kunstmaler sollte eigentlich vor der bildlichen Wiedergabe des nackten menschlichen Körpers . . ."

Weiter kommt er überhaupt nicht.

Fred schnappt nach Luft wie ein Fisch auf dem Trockenen. Er ist empört.

„Wie kannst du es wagen ... Ach, laß deine Ironie! Ich rede im übrigen nur gegen den Namen."

„Und gerade der bereitet mir Vergnügen", kontert Hermann ungerührt. „Wir müssen uns im Ort erkundigen, wo er herkommt. Ich möchte wissen, welcher Spaßvogel ihn kreiert hat, um einmal ein modernes Wort zu gebrauchen. Irgendeine besondere Bewandtnis muß es wohl damit haben."

„Na, wenn schon! Nichts, was mich weniger interessieren würde! Eine Geschmacksverirrung bleibt es meiner Meinung nach auf alle Fälle ..."

Fred kann nicht weitersprechen, denn vor ihm baut sich eine ältliche Engländerin auf mit spitzer Nase im blassen Gesicht, eine typische Vertreterin ihrer Rasse, leider eine von der unsympathischen Sorte. In der Hand hält sie den unvermeidlichen Reiseführer, indessen genügen ihr die Ausführungen im Buch anscheinend nicht. Sie möchte eben ihr Gastland sehr gründlich kennenlernen.

„I don't understand the word Nacktarsch. Please can you translate it?"

Sie akzentuiert die beiden ihr unbekannten deutschen Silben so deutlich, wie es ihr möglich ist.

Auch das noch! Der Gefragte erstarrt auf der Stelle und gleicht im Moment einer antiken Marmorsäule. Wie zum Donnerwetter soll man einem Ausländer diesen verdammt unanständigen Namen erklären, noch dazu einer Frau? Eine wörtliche Übersetzung kommt natürlich überhaupt nicht in Frage, das ist ja wohl absolut klar, und eine Erläuterung im übertragenen Sinne?

Nur mit äußerster Mühe vermag Hermann die Fassung zu wahren, er darf nicht laut loslachen, wie er es am liebsten möchte. Dieses eine einzige Mal ist er glücklich, daß ihm der Intimus vorgezogen wurde. Es ist ein kleines Äquivalent für viele bittere Augenblicke heimlichen Neidgefühls. Das Schicksal sorgt gelegentlich für einen gerechten Ausgleich, man muß nur warten können, und er hat sehr lange warten müssen. Wie oft bei ihren gemeinsamen Unternehmungen war es so, daß er mit modischem Anzug und neuestem Krawattenmuster neben dem anspruchsloseren Freund stand und Zeuge wurde, wie sich die holde Weiblichkeit, ob alt, ob jung, mit unfehlbarer Sicherheit zunächst an den langen Maler wandte. Der hat eben von Natur aus eine lässige, künstlerisch saloppe Eleganz, die unabhängig ist von Windsorknoten und Bügelfalte. Zudem legte ihm ein gütiges Geschick das gewisse „je ne sais quoi" in die Wiege, jenen undefinierbaren und nicht zu erlernenden Charme, den die Götter nur ihren Lieblingen schenken.

Nun sieh zu, mein Freund, wie du dich da herauswindest! Mit unverhohlener Schadenfreude steht Hermann daneben und wartet gespannt, während Fred um eine passende Antwort ringt. Denn er ist ja ein höflicher Deutscher und darum weit entfernt von der überheblichen englischen Sitte, im eigenen Land nur die eigene Sprache verstehen und sprechen zu wollen.

Es wird nicht leicht sein, auf die heikle Frage eine einigermaßen anständige Antwort zu finden, obgleich Freds Sprachkenntnisse durch einen monatelangen Englandaufenthalt über das übliche Schulwissen weit hinausgehen. Aber das ihm, der von Natur aus ein überempfindlicher Schöngeist ist, dünnhäutig in jeder Beziehung, allergisch gegen alles Brutale und Derbe, gegen unfeines Benehmen und drastische Ausdrücke.

Jedoch er meistert die Situation geradezu vorbildlich, seine wohlüberlegte Auskunft ist ein Musterbeispiel untadeliger Formulierung.

„Der Ausdruck ist eine volkstümlich derbe Bezeichnung für einen Körperteil, den zivilisierte Menschen niemals unbekleidet zur Schau zu stellen pflegen."

Zu diesen Worten lächelt er mit seiner ganzen gekonnt hinreißenden Liebenswürdigkeit in das fassungslose Gesicht seines Gegenübers hinein, dann deutet er eine weltmännisch höfliche Abschiedsverbeugung an und wendet sich zum Gehen. Eine Lady hat gefragt, ein Gentleman hat geantwortet.

Mit zuckendem Rücken vor mühsam unterdrücktem Lachen folgt ihm der Freund.

„Das war gekonnt geantwortet, ich gratuliere! Und das

peinlich betroffene Mienenspiel der Frau war sehenswert!"

Etwas anderes indessen hatte auf den Maler einen stärkeren Eindruck gemacht.

„Wenn sie nur nicht diese gräßlichen Stoppeln am Kinn gehabt hätte, der reinste Ziegenbart . . ."

Des Künstlers zartbesaitetes ästhetisches Empfinden ist in doppelter Hinsicht verwundet worden und Hermann ist perplex. Er hatte nur den vor grenzenlosem Staunen heruntergeklappten Unterkiefer gesehen, aber dessen garstige unweibliche Zierde war ihm völlig entgangen. Ja, diese überscharfen, bis in mikroskopische Feinheiten hinein alles erfassenden Maleraugen! Manchmal ist es unbestreitbar ein Vorteil, nur ein ganz gewöhnlicher Sterblicher zu sein mit zwar gesunden, aber keineswegs überfeinerten Sinnen.

Quer über die Straße kommt Lisa gegangen, mit federnden Schritten, mit lachendem, strahlendem Gesicht, die personifizierte Lebensfreude.

„Befehl ausgeführt, alles in Ordnung!" meldet sie in übermütigem Ton. „Ich hoffe, zu Hause entsprechend gelobt zu werden."

Der übernommene Auftrag ist, wie könnte es anders sein, bestens erledigt worden, ihr Vater wird mit ihr zufrieden sein, jetzt folgt der gemütliche Teil des kleinen Ausflugs.

Hermann, von Neugier geplagt, überfällt sie sofort mit der Frage, warum der Cröver Wein solch ein gewagtes Aushängeschild trägt.

„Wissen Sie vielleicht, wie die hiesigen Winzer auf den kuriosen Gedanken gekommen sind, ihr gutes Gewächs auf einen so ungewöhnlichen Namen zu taufen? Es muß doch irgendeine besondere Geschichte dahinterstecken."

Die reizvollen Grübchen auf Lisas rosigen Wangen vertiefen sich vor Vergnügen, sie zeigt ein lustiges Spitzbubenlächeln.

„Der Ursprung ist eine Sage, und ich kann sie Ihnen erzählen, so wie sie mir bekannt ist. Was daran der Wahrheit entspricht, wer kann das wissen?"

Das Mädchen bewährt sich einmal mehr als perfekte Fremdenführerin, die ihre schöne Heimat genau kennt und große

Freude daran hat, möglichst viel davon zu zeigen und gebührend zu erläutern.

„Im Mittelalter gehörte es zu den Pflichten der Bevölkerung, für die Klosterherren, die viele Reben besaßen, das ganze Jahr über in den Weinbergen hart zu arbeiten. Die Frauen mußten ihre Kinder mitnehmen, denn sie konnten sie natürlich nicht ohne Aufsicht zu Hause lassen. Trotz aller Verbote haben die Kleinen dann die Reife der Trauben nicht abgewartet und nach Kinderart unreife Beeren gegessen. Mit durchschlagendem Erfolg! Da die armen geplagten Mütter ununterbrochen arbeiten mußten, um das vorgeschriebene Pensum erfüllen zu können, hatten sie nicht die Zeit, ihre Sprößlinge entsprechend zu versorgen. Und da es so viele Malheurchen gab, ließen sie zum Schluß aus Not die Höschen ganz weg. Die Weinberge waren also belebt von zahlreichen nackten Kinderpopos. Na ja, der Volksmund pflegt sich eben mit Vorliebe recht drastisch auszudrücken, so ist dann der für einen Wein wirklich ungewöhnliche Name entstanden."

Hermann findet es großartig, eine alte Sage über die Jahrhunderte hinweg auf solch ergötzliche Weise lebendig zu erhalten, Fred verzichtet auf jede Meinungsäußerung, aber es gibt auch ein beredtes Schweigen. Seine reservierte Miene erhellt sich erst, als Lisa mit feinem Gefühl für geheime Spannungen auf ein anderes Thema umschaltet, das seinen Interessen eher entgegenkommt.

„So, und jetzt zeige ich Ihnen die vielen schönen Fachwerkhäuser, für die Cröv neben seinem süffigen Wein noch bekannt ist. Und eine wunderschöne Barockkirche gibt es hier auch."

Am Abend sitzt die Familie mit ihren Gästen noch lange gemütlich zusammen. Nachdem die mannigfaltigen Erlebnisse des vergangenen Nachmittags Revue passiert und entsprechende Resonnanz gefunden haben, nachdem Vater Schweitzer schmunzelnd den lukrativen Auftrag, den Lisa mitbrachte, eingeheimst hat, ist er wieder einmal in Spendierlaune geraten und wischt Freds Einwurf, daß es allmählich an der Zeit wäre, an die Abreise zu denken, mit einer energischen Handbewegung unter den Tisch.

„Aber Sie sind ja kaum da! Und auf der Marienburg sind Sie auch noch nicht gewesen! Den Besuch dürfen Sie sich nicht entgehen lassen um des Ausblicks willen, den man von da oben hat. Im Herbst ist es durch die bunten Farben am schönsten, und wenn dann noch wie in diesem Jahr die Sonne drauf scheint . . ."

Er hat sich mit den letzten Worten direkt an den Maler gewandt, der doch für bezaubernde Landschaftsbilder am empfänglichsten sein muß. Folglich ist Fred verpflichtet, an dem empfohlenen Ausflug teilzunehmen. Er kann diesmal dem verliebten Freund nicht den Gefallen tun, in entgegengesetzter Richtung auf Motivsuche zu gehen. Ganz abgesehen davon ist seine Geduld allmählich bis zum äußersten strapaziert worden, er will nicht auch noch die letzten wenigen Urlaubstage auf diese Weise verbringen. Wenn er heute noch einmal gute Miene zum bösen Spiel macht, ist es das letzte Mal, bestimmt das allerletzte Mal.

So wandert das dreiblättrige Kleeblatt am nächsten Tag einträchtig die ansteigende Straße zur Marienburg hinauf, nachdem Hermann den gelben Wagen auf dem Parkplatz am Fuß des Berges abgestellt hat. Je näher sie ihrem Ziel kommen, desto abwechslungsreicher wird das Bild der lieblichen Landschaft an beiden Ufern der Mosel. Vater Schweitzer hatte nicht zuviel versprochen.

Zur Linken fällt der Berghang jäh ab in gefährliche Tiefen, die steilen Weinberge verlieren sich ins Bodenlose. Von hier oben gesehen scheinen die schnurgeraden Reihen der Rebstöcke direkt in den Moselwellen zu entspringen. Dazwischen ist kaum Erde sichtbar vor lauter Steinen, doch was dem unkundigen Laien als unfruchtbarer Boden erscheinen muß, fördert in Wirklichkeit die Qualität des Weines. Denn jeder Stein speichert die Sonnenwärme des Tages und beschenkt damit die Reben in den kühlen Stunden der Nacht.

Tiefaufatmend bleibt Hermann stehen und deutet in die abgründige Tiefe.

„Schau da hinunter, Fred, und du hast die Ursache der größten Mühe für die hiesigen Weinbauern vor dir. Wenn wir diesen steilen Hang nur hinuntersehen, werden wir schon schwindlig. Unsereiner würde glatt abrutschen und ein paar hundert Meter tiefer in den Fluß tauchen. Jetzt stell' dir vor, die Leute müssen nicht nur da hinauf- und hinuntersteigen, nein, sie müssen da arbeiten — und wie hart."

Hier schaltet sich die sachverständige Winzertochter ein.

„In solcher Lage darf kein Quadratmeter Boden brach liegengelassen werden, es käme einer Sünde gleich. Die verschiedenen Sorten der schmalen Parzellen müssen natürlich gesondert gelesen und die Trauben auch gesondert gekeltert werden, das macht alles zusätzliche Arbeit."

Eine fremde Welt tut sich vor den beiden Freunden auf, und sie sind tief beeindruckt. Wenn sie in Zukunft ihren Moselwein trinken werden, dann mit einem stillen Gedenken an die Menschen, die ihre Lebensarbeit dem mühsamen Weinbau widmen. Da es indessen nicht Sache der Jugend ist, sich von Sorgen und Plagen anderer Leute nachhaltig beschweren zu lassen, hebt sich die Stimmung auf der restlichen Wegstrecke schnell wieder. Und gar als die drei im Hof der Burg ankommen, verfliegt spontan jedes Überbleibsel grüblerischer Reflexionen. Denn hier oben wird gerade eine Hochzeit gefeiert, und für die frühe Nachmittagsstunde geht es schon recht hoch her. Anscheinend hat man während des festlichen Mittagessens so mancher Flasche des fröhlichmachenden Moselweins den Hals gebrochen. Jetzt schlürfen die älteren Semester im Innern des Hauses ihren Verdauungskaffee, während hier draußen das strahlende Brautpaar sein junges Glück genießt. Es wird gesungen, getanzt und gelacht; es wird Gitarre und Harmonika gespielt, und es werden die üblichen mehr oder weniger taktlosen Anspielungen auf die kommende Hochzeitsnacht gemacht.

Als die Musik zu einem neuen Tanz einsetzt, legt Hermann mit schönster Selbstverständlichkeit seinen Arm um Lisa, die das offenbar völlig in Ordnung findet, und die beiden tanzen mit, ganz als gehörten sie dazu. Sie werden von der lebensfrohen Runde ohne weiteres akzeptiert.

Fred sieht sich einmal mehr mitleidlos kaltgestellt, aber er ist Kummer gewöhnt. Niemals hat einer der Freunde des anderen Kreise zu stören versucht, das ist ungeschriebenes

Gesetz zwischen ihnen, wenn es auch manchmal schwerfällt zu schweigen, wo die Freundespflicht viel eher entschlossenes Einschreiten erforderte.

Resigniert wendet der lange Maler sich ab. Er ist hier überflüssig, das ist klar, ja, nicht nur das, er ist bestimmt darüber hinaus höchst ungern gesehen, denn auch ohne ein Wort der unerwünschten Intervention ist seine bloße Anwesenheit für Hermann so etwas wie ein vorwurfsvolles Mahnen und damit eine lästige Beeinträchtigung seines augenblicklichen weibstollen Zustandes. Er will jetzt in seiner Verliebtheit nicht gemahnt werden, er will auch keinen vorwurfsvollen Blick, auf gar keinen Fall! Gut, soll er sein Vergnügen haben. Der nachfolgende Katzenjammer wird entsprechend werden.

Fred hat jetzt reichlich Muße, die vielgerühmte Aussicht in Ruhe zu genießen. Aber zunächst studiert er intensiv die große Tafel, die in eine Mauer eingefügt ist, um den Besuchern die wechselvolle Geschichte der Marienburg zu erzählen, von den Jahren Karls des Großen an bis in die Neuzeit. Ein guter Gedanke ist das, findet er, ein nachahmungswürdiges Beispiel, die Nachwelt in dieser Weise zu unterrichten, auf welch geschichtsträchtigem Boden sie sich hier befindet.

Beide Hände in den Hosentaschen vergraben, schlendert Fred gemütlich weiter. Da die Mosel tief unten in langer Schleife um den Berg fließt, ergibt sich von jedem Punkt aus ein malerisches Bild, nach allen Himmelsrichtungen hin, doppelt schön, weil verschwenderisch übergossen von ungetrübtem Sonnenschein. Das bunte Herbstlaub prangt in allen Tönungen von sattem Rot und warmem Gold, darüber wölbt sich azurblau der wolkenlose Himmel — es ist eine herrliche Farbensymphonie. Der Bahnhof von Bullay drüben auf dem jenseitigen Ufer sieht aus wie einer Spielzeugschachtel entnommen und von Kinderhand aufgebaut. Ein Stück davor spannt sich die zweistöckige Brücke, deren Fahrstraße im Parterre für die Autos bestimmt ist. Wahrlich, der kleine Aufstieg auf den Berg hat sich gelohnt, es gibt sehr viel reizvolle und interessante Ausblicke von hier oben aus.

Aber jetzt ist es Zeit, sich nach seinem verliebten jungen Paar umzuschauen, damit ihn die zwei nicht einfach hier stehenlassen wie einen ausgedienten Regenschirm. Hermann in seiner derzeitigen Verfassung ist so ungefähr alles zuzutrauen, nur nichts Gescheites. Gar so schlimm hatte es ihn eigentlich noch nie gepackt, hol's der Kuckuck!

Seine feine Witterung hat Fred genau zum richtigen Zeitpunkt zurückgeführt, unverkennbar ist höchste Gefahr im Anzug. Denn was seine kritischen Blicke nun zu sehen bekommen, gefällt ihm ganz und gar nicht. Das Brautpaar tanzt allein in der Mitte des Burghofes, sehr innig Auge in Auge, zeitweise sogar Mund an Mund. Sollen sie, diese beiden, sollen sie zärtlich miteinander sein, bitte sehr, es ist ihr gutes Recht, es handelt sich ja um sanktionierte Intimitäten von Hochzeitern. Äußerst gefährlich ist nur, daß so etwas aufputschend wirkt auf die Zuschauer, besonders auf solche, die schon von den Bazillen der Verliebtheit infiziert sind. Das hat gerade noch gefehlt, Fred wird es schwül und schwüler.

Und richtig, aus dem Rund der umstehenden jungen Leute löst sich ein weiteres Paar, das zärtlich Wange an Wange zu tanzen beginnt: Hermann und Lisa! Es wird Beifall geklatscht, zunächst nur spärlich, dann immer stärker, am Ende klatscht die ganze außer Rand und Band geratene Gesellschaft im Takt der Musik mit. Weiß Gott, die übermütige rhythmische Ovation gilt seinen beiden, da gibt es keinerlei Zweifel. Plötzlich deutet ein vom Alkohol umnebelter Jüngling nach Kinderart mit ausgestrecktem Zeigefinger auf die entrückt Verliebten und brüllt dazu: „Das nächste Brautpaar", und der Beifall wird enthusiastisch.

Lisa erglüht und will ausbrechen, aber Hermann hält seine schöne Beute nur noch fester und doppelt innig an sich geschmiegt. Er lächelt dazu wie in Trance, er ist nicht mehr auf dieser Erde, er schwebt in überirdischen Regionen.

Der lange Maler kocht innerlich vor ohnmächtigem Zorn. Dieser einfältige Narr! Dieser unüberlegte Idiot! Es ist einfach zum Dreinschlagen, wie er sich benimmt, denken tut er wohl überhaupt nicht mehr. Er ist so unbesonnen wie ein wilder Knabe in erster pubertärer Bedrängnis. Dem kann er

nicht länger tatenlos zusehen, das kann er nicht länger ver-
antworten, er würde ewig Gewissensbisse haben.

Entschlossen geht er auf das immer noch engumschlungen
tanzende Paar zu und klopft dem selig entrückten Freund
auf die Schulter, mehrmals und mit Nachdruck, bevor der
reagiert.

„Was ist denn?“

Nach dem erschreckten Zusammenzucken über die unerwartete Berührung braucht Hermann Minuten, um wieder
auf den festen Boden der Tatsachen zurückzukehren.

„Wenn wir pünktlich zu Hause sein wollen ...“, mahnt
Fred.

Weiter kommt er nicht, der Freund entlädt seinen Unwillen
über die grausame Störung seiner Liebesseligkeit mit beißen-
der Ironie.

„Was man nicht erleben muß: Fred, der zur Pünktlichkeit
mahnt! Dein Leben lang hast du die Forderung nach
strikter Pünktlichkeit als Einengung deiner persönlichen Freiheit abgelehnt. Es sei ein unzumutbarer Zwang, hast du
immer gepredigt, und jetzt ...“

„Jetzt fahren wir nach Hause, Hermann, umgehend.“

Der Satz steht da wie aus Stein gemeißelt, in eisiger Betonung.

Natürlich ist damit zunächst das Haus Schweitzer gemeint,
das ist sonnenklar, aber irgend etwas im Ton des Malers läßt
den Verliebten stutzig werden. Das klang ja plötzlich so ungewohnt entschlossen und endgültig, so nach Punktum, basta,
jetzt habe ich einmal ein Machtwort gesprochen, es war die
höchste Zeit! Sollte Fred mit dem entschiedenen „nach Hause“
etwa an die endgültige Heimkehr gedacht haben? Das wäre
denn doch ...

Die empörende Frage bleibt offen, denn Lisa, verwirrt und
verlegen, weil sie diesen Zeugen ihres leidenschaftlichen Tan-
zes vor lauter Glück ganz schlicht und einfach vergessen hatte,
schneidet jede weitere Erörterung des Themas ab, indem sie
der sofortigen Abfahrt zustimmt.

„Ich glaube auch, es ist höchste Zeit.“

Mit hochrotem Gesichtchen vor lauter Befangenheit wagt sie nicht, Fred in die Augen zu schauen.

Es gibt einen unaufhaltsam schnellen Aufbruch und eine recht schweigsame Rückfahrt, weil jeder seinen eigenen Gedanken nachhängt. Hermann, abrupt aus dem siebenten Himmel seiner Seligkeit gerissen, brütet finstere Rache. Das soll ihm der Störenfried fürchterlich büßen! Fred beschließt definitiv bei sich, nicht länger widerspruchslos diesem gefährlichen Flirt seinen Lauf zu lassen. Wo soll denn das hinführen? Er muß retten, was noch zu retten ist, und sei seine Einmischung noch so unerwünscht. Viel später einmal wird der Freund es ihm danken, davon ist er überzeugt.

Am Abend, als die beiden ungleichen Kameraden in der gemeinsamen Schlafstube unter sich sind, voll des guten Moselweins, den der spendable Gastgeber mit berechtigtem Stolz auf seine edlen Eigengewächse zu jeder Mahlzeit kredenzt, entlädt sich endlich das lange drohende Gewitter.

Aus Freds seit Tagen angeschwollenen Zornesmassen prasselt ein ungestümes Donnerwetter auf den überraschten Liebhaber nieder. Der hat die kleine ärgerliche Episode von vorhin fast vergessen, sie ist ihm unwichtig geworden, genau wie des Freundes drohender Tonfall, und auch die furiosen Rachegedanken, die er während der Heimfahrt bebrütete, sind im Überschwang seiner Gefühle wieder untergegangen. Sein Glück ist so grenzenlos, so übermächtig, daß es die gesamte Umwelt mit allem, was dazu gehört, ganz einfach absorbiert.
Fred legt los wie ein wildgewordener Berserker.

„Sag mal, was denkst du dir eigentlich bei der ganzen Geschichte? Bist du überhaupt noch fähig, einen vernünftigen Gedanken zu fassen? Wie lange soll dieses Anhimmeln der Moselmaid denn noch weitergehen? Und wollen wir ewig in diesem Nest hängenbleiben? Ich sage dir, ich mach nicht mehr mit, ich habe es satt bis hierher!“

Er macht die typische Handbewegung waagrecht an seinem langen Hals entlang.

Der Gescholtene tut, als habe er niemals Ohren an seinem Kopf gehabt.

„Bald ist eine volle Woche um, überleg dir das mal, eine volle Woche! Wir können die Gastfreundschaft der Leute wirklich nicht länger in Anspruch nehmen, es wäre direkt unanständig!"

Völlig ungerührt von dieser Standpauke zuckt Hermann die Achseln, er würdigt den Freund nicht einmal einer Antwort. Fred wütet weiter.

„Überhaupt sagt ein chinesisches Sprichwort: Fische und Gäste stinken am dritten Tag."

„Was geht mich das an? Sind wir vielleicht in China?"

„Natürlich nicht! Man kann aber, ohne in dem betreffenden Land zu leben, die Weisheit seiner Bewohner sich zunutze machen und entsprechend handeln. Man sagt von den Chinesen, sie seien alt und weise . . ."

„Du sagst es: alt und weise! Aber ich bin jung, und ich will gar nicht weise sein, sondern ich will leben, mit diesem Mädchen leben, ohne viel Weisheit, aber mit sehr viel Liebe!"

Fred explodiert aufs neue bei soviel Nichtachtung der realen Tatsachen.

„Menschenskind, hast du denn keine Überlegung, keine Vernunft mehr in dir? Wie willst du denn mit Anstand wieder aus dieser Situation herauskommen? Sie wird mit jedem Tag und jeder Stunde, die wir bleiben, heikler für dich. Außerdem — du gibst dir nicht die geringste Mühe, wenigstens den Schein zu wahren. Du himmelst diese Jungfrau an wie ein zum ersten Mal verliebter grüner Primaner. Mit neunundzwanzig Jahren hat man doch schließlich die Kinderschuhe ausgetreten."

Erwartungsvoll schaltet er eine Pause ein und schaut zu dem Freund hinüber, daß er ihm endlich recht gebe.

Indessen vollkommen ungerührt wie vorher auch, sitzt Hermann auf dem Rand seines Bettes, hält einen Schuh in der Hand und läßt gedankenverloren seine beiden großen Zehen miteinander spielen. Was soll das alles? Freds Wutausbruch langweilt ihn maßlos, das pessimistische Ausmalen drohender Verwicklungen macht nicht den geringsten Eindruck auf ihn. Und gerade die Tatsache, daß er mit seinen gutgemeinten Worten keinerlei Wirkung erzielt, steigert den gerechten Zorn des Malers auf das äußerste.

„Mach mich nicht rasend", faucht er empört.

„Ich heirate das Mädchen", sagt Hermann plötzlich leise, innig, aus tiefstem Herzen heraus glücklich.

Das ist zuviel für den wütenden Maler, das zu hören hatte er zuletzt erwartet.

„Bist du komplett verrückt geworden?"

Gebrochen sinkt er auf das gegenüber stehende Bett, und so sehen sich die Freunde an, lange und schweigend, besorgt und verstört der eine, lächelnd und selig der andere.

„Übrigens ... meine Großmutter hat recht gehabt", sagt Hermann dann versonnen.

Der Freund sieht beim besten Willen keinen Zusammenhang.

„Wieso denn das? Die alte Dame von achtzig?"

„Sie war sogar vierundachtzig", berichtigt ihr Enkel freundlich. „Red nicht so geschwollen daher, hat sie einmal zu mir gesagt, als ich an einem Sonntagnachmittag bei ihr Kaffee trank. Sie hatte bis ins hohe Alter hinein die seltene Gabe, es um sich herum gemütlich zu machen, einfach bewundernswert! Und sie hat immer einen ausgezeichneten Kuchen gebacken. Aber an jenem Tag wurde sie fuchsteufelswild, als ich ihr meine Ansicht über die Ehe entwickelte. Du bist noch ein grüner Junge, sagte sie, und das alles ist kompletter Unsinn, verlaß dich auf meine Lebenserfahrung. Je mehr du die Sache ablehnst, desto stärker wird es dich eines Tages packen, dann nämlich, wenn dir die Richtige über den Weg läuft. Im ersten Moment merkst du es gar nicht, aber wenn du dir darüber klar wirst, ist es zum Rückzug längst zu spät. Da zappelst du hilflos im Netz, und deine verschrobenen Ansichten wirfst du blitzschnell über Bord. Zu deinem Glück! Und bring mir das Mädel dann mal her ... Na ja, das kann ich nun leider nicht mehr tun, aber die beiden hätten sich gegenseitig gefallen, davon bin ich fest überzeugt."

Fred kann es noch immer nicht fassen. Er unternimmt erneut einen ernstlichen Vorstoß, den verblendeten Jugendfreund von seinem törichten Vorhaben abzubringen. Da kann doch nichts Gutes draus werden!

„Drei Jahre schon, wenn nicht länger, gaben deine Eltern sich die größte Mühe, dich in eine Ehe zu lotsen. Es war der sehnlichste Wunsch deiner Mutter, dich verheiratet zu sehen, bevor sie starb. Vergeblich! Nie war dir ein Mädchen eures Bekanntenkreises gut genug, immer fandest du etwas auszusetzen. Und jetzt willst du deinem Vater ein Bauernmädchen als Schwiegertochter bringen? Den rührt ja der Schlag."

„Ja, ich werde Lisa heiraten. Ja! Ja! Ja!"

Er dehnt seine kräftigen Arme, als wolle er die Liebste auf der Stelle umarmen.

„Sie ist ein so fröhlicher und sonniger Mensch! Ich habe noch nie eine bedrückte Miene bei ihr gesehen, sie entwaffnet doch sogar stets ihren knurrigen Alten mit seinem barschen Kasernenhofton."

„Zugegeben, das tut sie! Aber wenn du jedes muntere Frauenzimmer gleich heiraten wolltest . . ."

„Rede nicht länger dagegen, du bist doch mein Freund. Hilf mir lieber und halte zu mir, wenn wir nach Hause kommen, denn natürlich wirst du nach allem Wissenswerten ausgequetscht werden. Ach, auch du kennst Lisa noch gar nicht richtig. Ein Bauernmädel! Ja, das wird auch mein Vater zuallererst sagen, und er wird toben, wie ich ihn kenne. Aber dieses sogenannte Bauernmädel hat Herz und Gemüt, das ist ausschlaggebend für mich. Und dann . . . es ist ein Mädel mit rascher Auffassungsgabe, ein Mädel, bei dem der Groschen nicht nur pfennigweise fällt. Ich will gar nicht davon reden, daß Lisa auch hübsch ist, und zwar von einer natürlichen Frische und Schönheit, ohne Puder und Schminke und Schönheitswässerchen."

In sein Schicksal ergeben sitzt Fred mit gefalteten Händen da und läßt den unvermeidlichen Herzenserguß des Kameraden über sich ergehen. Welcher Verliebte auf Erden findet nicht gerade seine Erkorene am schönsten, am klügsten, am liebenswertesten von allen Weiblichkeiten auf der ganzen weiten Welt? Es hieße Öl in hellodernde Flammen gießen, wollte man solche Lobeshymnen zweifelnd unterbrechen. Aber auch seine Geduld hat einmal ein Ende.

„Darf ich dich schüchtern daran erinnern, daß deine bisherigen Freundinnen alle miteinander moderne Großstadtpflanzen waren, elegante Mädels, immer nach dem neuesten Pfiff gekleidet, undenkbar ohne mehr oder weniger Malerei im Gesicht . . .“

Eine entschiedene Handbewegung wischt alle bisherigen großen und kleinen Lieben mitsamt ihrer eleganten Aufmachung in den tiefsten Orkus.

„Gerade darum, lieber Freund, habe ich bis heute keine von ihnen fest an mich gebunden. Ich will keine lackierte Modepuppe neben mir, sondern ein natürliches Mädel.“

„Mit einem Mal! An deiner Freundin Edith hats du gerade ihr kunstvolles Make-up geliebt, mit Lidschatten und Wimperntusche, mit allem nur möglichen Drum und Dran, eine täglich erneuerte perfekte Maske. Und knallrote Krallen an allen zehn Fingern.“

Wieder winkt Hermann kurz und energisch ab.

„Ach Edith! Längst passé! Das war doch nur ein Abenteuer ohne Tiefgang, ich wußte bald, woran ich war. Wenn man jung ist, läßt man sich leicht blenden. Diese Weisheit ist so alt wie die ganze Menschheit! Such dir den jungen Mann, der noch nie auf ein raffiniertes Hürchen hereingefallen ist! Schließlich muß man im Leben seine Erfahrungen machen, dann erst kann man Echtes von Unechtem unterscheiden. Hauptsache aber“, er pflanzt sich energisch vor dem skeptisch zuhörenden Freund auf, „Hauptsache aber ist, mein Lieber, daß man solch einem Luderchen nicht für immer ins Garn geht. Und so dumm bin ich zu meinem Glück nicht gewesen.“

Fred gibt den Widerstand auf, ohne überzeugt worden zu sein. Es fragt sich nur, denkt er bei sich, ob Hermanns Gefühle stark und beständig genug sein werden, um den unvermeidlichen Entrüstungssturm des enttäuschten Vaters, der sich eine Schwiegertochter aus ganz anderen Kreisen erträumt, siegreich zu überstehen. Oder macht er sich wirklich und wahrhaftig unnötige Sorgen? Kann sich ein Mann durch ein sehr tiefes Gefühl so von Grund auf ändern?

Bisher glich Hermann in seinen reichlichen Beziehungen zum schönen Geschlecht erheblich jenem berüchtigten Schmetterling, der so recht an keiner am Weg lockenden Blume vorbeikommt, ohne im flüchtigen Vorüberflattern ein wenig von ihrem Duft und ihrem Liebreiz zu naschen. Sollte er ausgerechnet hier an der Mosel bei einem bescheidenen, quasi im Verborgenen blühenden Veilchen für immer hängen bleiben? Nichts auf der Welt ist so unberechenbar wie die Liebe! Zudem soll es einem alten Sprichwort zufolge gelegentlich junge Gänschen geben, die einen erfahrenen Fuchs zur Strecke zu bringen vermögen . . .

Am nächsten Morgen hat das Wetter unerwartet umgeschlagen, der ganze Himmel ist grau überzogen. Vorbei der goldene Herbst mit seiner strahlenden Sonne und seinem azurnen Blau. In der Nacht hat es sich sacht und leise eingeregnet, ein richtiger ausdauernder Landregen, dessen kühle Ungemütlichkeit nach der angenehmen Wärme der letzten Tage frösteln läßt.

Dem alten Bauern ist es so gerade recht. Bei diesem naßkalten Hundewetter muß das junge Volk notgedrungen einmal zu Hause bleiben.

Man sitzt schon beim Frühstück länger als sonst gemütlich zusammen, und so ergibt sich ganz von selbst die sehr erwünschte Gelegenheit, dem offensichtlichen Verehrer der einzigen Tochter etwas auf den Zahn zu fühlen.

Was ist er? Was hat er? Meint er es ernst?

Jeder richtige Geschäftsmann weiß gern, woran er ist und was er von einem eventuellen künftigen Schwiegersohn zu halten hat. Denn schließlich ist auch die Heirat der Kinder bis zu einem gewissen Grad ein Geschäft, oftmals nicht das schlechteste. Wenn Vater Schweitzer insgeheim an eine zukünftige Ehe seiner Lisa dachte, so sah er darin immer eine rentable Angelegenheit, nicht unbedingt verbunden mit seiner Branche, da möchte er gern Alleinherrscher bleiben, aber lukrativ mußte sie sein. Selbstverständlich würde seine Tochter sehr umworben sein, man hätte mehr oder weniger nur die Qual der Wahl, so stellte er sich bisher die Sache vor. Aber jetzt dieser fremde junge Mann, von dem niemand etwas weiß . . .

Mutter Schweitzer deckt mit gewohnter Sorgfalt den Frühstückstisch. Er ist im Original genau so, wie manche städtische Hausfrau ihn nachzuahmen sich bemüht als zünftigen Ausdruck naturverbundener Lebensweise: ein praktisches Gedeck aus buntem Bauerngeschirr auf derbem Leinen, dazu zweckmäßige Holzbrettchen anstelle der Frühstücksteller. Daneben leuchten im formschönen Krug die letzten Astern aus dem Garten. Mehrere hausgemachte Wurstsorten und rosiger Schinken lachen dem Hungrigen appetitlich entgegen, und der lockende Duft eines starken Kaffees zieht durch das ganze Haus. Auf dem Büfett steht eine Flasche mit hochprozentigem Himbeergeist griffbereit.

Während sie als letztes die Eierlöffel verteilt, schielt die Hausfrau ängstlich zu ihrem Mann hinüber, der ungewöhnlich lange am Fenster steht und in den rinnenden Regen hinausstarrt. Sie merkt ihm an, es muß ihn etwas Besonderes beschäftigen, denn er denkt nicht wie sonst jeden Morgen zunächst an die Post, die gerade gebracht worden ist, und auch nicht an die viele andere Arbeit, die auf ihn wartet. Er ist unruhig und trommelt ungeduldig gegen die Scheibe, das ist erfahrungsgemäß ein untrügliches Zeichen, daß sich etwas zusammenbraut. Was denn nur, um Himmels Willen? Seine maßlosen Wutausbrüche sind gefürchtet.

Endlich wendet er sich zu ihr um, einen triumphierenden Zug im Gesicht .

„Das miserable Wetter heute kommt mir wie gerufen. Heute können die Jungen nicht gut spazierenlaufen oder in der Gegend herumfahren, da werde ich Lisas Verehrer einmal richtig ins Gebet nehmen. Auf die gute Gelegenheit warte ich schon lange."

Seine gutmütige Frau erschrickt bis ins innerste Herz hinein, sie kennt ihren Mann und seine derb polternde Art nur zu gut. Wenn er eine Sache diplomatisch angehen will, ist sie schon so gut wie vermasselt. Er ist der ewige Elefant im Porzellanladen.

„Aber laß uns erst in Ruhe frühstücken, Mann, und fall' nicht mit der Tür ins Haus, sonst vergraulst du ihn womöglich."

Vater Schweitzer liebt keinerlei Belehrungen, von niemandem, am allerwenigsten von seiner Frau. Er als gestandener Mann braucht doch keine Anweisungen von einem Weib! Er ist sofort gereizt und läuft bedenklich rot an.

„Wenn er ein anständiger Kerl ist, läßt er sich dadurch nicht vergraulen. Schließlich haben wir allmählich wohl ein gewisses Recht, Näheres zu erfahren."

Damit ist die delikate Angelegenheit genau an dem kritischen Punkt angelangt, den der klug überlegende Fred unter allen Umständen vermeiden wollte. Als objektiver Beobachter der Szene sah er diese Zuspitzung der Lage mit absoluter Sicherheit voraus.

Nach der ausgiebigen Morgenmahlzeit bietet der Hausherr wie immer Zigaretten und Zigarren an. Er ist überhaupt in jeder Beziehung ein vorbildlicher Gastgeber, niemand merkt ihm die geringste Nervosität an. Dabei möchte er am liebsten die rinnende Zeit aufhalten, jede Minute einzeln, damit die Gäste nicht doch irgendwohin aufbrechen, bevor er seinen Plan verwirklichen konnte. Es hört auf zu regnen, ausgerechnet jetzt, wo er das nicht brauchen kann. Es sollte im Augenblick ihm zuliebe in Strömen gießen, aber nein, der Himmel hellt sich auf, kruzitürken, alles geht schief. Er muß unbedingt den Zeitpunkt eines möglichen Aufbruchs hinausschieben. So mimt er glänzende Laune und gibt Bonmots zum besten, die schon jeder kennt. Er hebt weise den dicken Zeigefinger und doziert:

„Es ist bei den Weinen wie bei den Menschen. Manche muß man sich kühlhalten und manche muß man sich anwärmen, bevor man sie genießt. Aber bei schlechten Sorten hilft beides nichts."

Innerlich überlegt er krampfhaft, wie er am besten die von ihm gewünschte Unterhaltung eröffnen und möglichst unauffällig auf das von ihm beabsichtigte Gleis schieben könnte. Ehe er indessen in seiner bäuerlichen Schwerfälligkeit einen festen Entschluß gefaßt hat, ehe er eine passende Einleitung finden konnte, kommt Hermann ihm überraschend zuvor.

„Herr Schweitzer, mein Freund und ich sind Ihnen für Ihre wirklich großzügige Gastfreundschaft sehr zu Dank verpflichtet."

Sogleich überzieht sich das biedere rote Gesicht mit strahlendem Wohlwollen.

„Also es hat Ihnen bei uns an der Mosel gefallen?"

„Ganz ausgezeichnet sogar! So gut, daß wir am liebsten noch gar nicht wieder weg möchten."

So etwas hört natürlich jeder gern, und voller Stolz macht Vater Schweitzer eine einladende Handbewegung. Sein Selbstbewußtsein, an sich schon keineswegs kümmerlich von Natur aus, hebt sich gewaltig. Man könnte meinen, er habe höchstpersönlich die pittoreske Mosellandschaft aufgebaut und jeden Rebstock darin selbst gepflanzt. Immerhin ist er der Mann, der diese beiden Fremden zum Bleiben und damit zum Kennenlernen seiner schönen Heimat bewog.

„Sie können Ihren Aufenthalt hier gern noch verlängern."

Dankend verbeugt Hermann sich mit ausgesuchtester Höflichkeit.

„Sehr freundlich von Ihnen, aber das geht leider nicht, die Arbeit verlangt jetzt wieder ihr Recht. Unsere Ferien sind zu Ende und morgen müssen wir wieder nach Hause."

Er tut einen langen Zug an seiner Zigarette und blickt nachdenklich den silbergrauen Rauchwölkchen nach.

„Mein Vater wird sich freuen, mich wiederzuhaben, er braucht mich dringend. Seit einiger Zeit kränkelt er, und deswegen will er mir demnächst das Geschäft übergeben und sich zurückziehen."

Etwas wehmütig lächelnd lehnt er sich gemütlich in seinem Stuhl zurück.

„Die wunderschönen Herbsttage hier an der Mosel waren bestimmt meine letzten ganz sorglosen Ferien, beinahe so etwas wie ein Abschied von der unbeschwerten Jugend. Denn nun beginnt mit der Verantwortung, die mir übertragen wird, der eigentliche Ernst des Lebens. Aber ich freue mich darauf, vor allem auf die Selbständigkeit."

Man sieht ihm direkt an, wo er vor Tatendrang glüht.

Des Gastgebers heimliche Neugier hat sich durch diese vielversprechende Einleitung begreiflicherweise ins Gigantische gesteigert.

„Darf man fragen, welcher Art Ihr Geschäft ist?"

„Es ist eine Branche, welche der Ihrigen sehr nahe steht. Wir besitzen eine Weinstube, die schon seit zwei Generationen in unserer Familie ist."

Im ersten Moment sprachlos, was nicht oft vorkommt, aber auf das angenehmste überrascht, haut sich der Bauer seine derben Fäuste auf die feisten Schenkel, daß es nur so kracht.

„Junger Mann", dröhnt er dann, „und das erzählen Sie mir erst jetzt? Daher also Ihr großes Interesse für ein echtes Winzerfest und für unsere Moselweine."

Hermann antwortet sehr betont.

„Jawohl, daher natürlich auch."

Und ganz zuletzt, so scheinbar nebenbei, wie eine völlig belanglose Kleinigkeit am Rande, läßt er dann die gewichtige Hauptsache einfließen: daß sein Vater ihm dringend geraten habe, möglichst bald zu heiraten, da in jedes Geschäftshaus eine umsichtig sorgende Hausfrau gehöre. Seit dem vor einem Jahr erfolgten Tod der Mutter mache sich ihr Fehlen auf allen Gebieten unliebsam bemerkbar.

„Die Männerwirtschaft mit der totalen Abhängigkeit vom Personal ist auf die Dauer schwierig, und ungemütlich ist sie obendrein."

Der schweigsame Freund hört sich das alles mit wachsendem Erstaunen an, deutlicher kann man beim besten Willen nicht mehr werden. Was er nicht alles erleben muß neuerdings! Mit diskretem Takt betrachtet er angelegentlich seine schmalen Künstlerhände, während Lisa mit blutübergossenem Gesichtchen dabeisitzt.

Dem angehenden Schwiegervater hüpft vor Freude das stolzgeschwellte Herz in der Brust, er ist überwältigt von dem Gehörten. Daß der Flirt schon so weit gediehen ist, hatte er natürlich nicht zu hoffen gewagt. Er weiß im Augenblick nichts Passendes zu erwidern, für den väterlichen Segen ist es denn doch noch etwas zu früh. Im Grunde genommen haßt er gefühlvolle Familienszenen, da er sie nicht zu meistern vermag. Irgendwie sind sie ihm peinlich. Wie soll man sich da am besten verhalten? Er wird in solchen Situationen unsicher und versucht im allgemeinen, diesen in seinen Augen blamablen Zustand mit gesteigerter Derbheit zu überspielen. Das hat ihm bei der Verwandtschaft wie in Bekanntenkreisen den ominösen Ruf eingetragen, das Gemüt eines Fleischerhundes zu besitzen. Zu Unrecht! Er hat es gar nicht, er tut nur so!

Jetzt geht er seiner peinvollen Verlegenheit aus dem Weg, indem er nach einer gemurmelten Entschuldigung schnell das Zimmer verläßt und zu seiner Frau in die Küche rast, um ihr den ebenso unerwarteten wie hocherfreulichen Stand der Dinge mitzuteilen.

Frau Schweitzer steht an ihrem Herd und brät das Fleisch für das Mittagessen an. Hinter ihr am Küchentisch sitzt die Rosa, das junge Mädchen für alles, und schält Kartoffeln.

Die Rosa ist eine richtige Küchenfee vom Lande, drall und mit rotem Pausbackengesicht, rundlich und fleißig, aber dumm, hoffnungslos dumm. Ihr beschränktes Begriffsvermögen steht in keinerlei Verhältnis zu der beachtlichen Kraft ihrer Arme. Wenn sie den Küchenboden oder draußen die Steintreppe schrubbt, mit soviel Seifenlauge, daß die Entenküken darin schwimmen könnten, dann ist sie in ihrem Element. Aber den einfachsten Auftrag vermag sie nicht auszuführen, sie pflegt ihn völlig zu verkorksen und dann total verheult nach Hause zu kommen.

Indessen hat längere Erfahrung ihren Brotgeber gelehrt, daß sie, so begriffsstutzig sie im allgemeinen ist, im besonderen mit einem sechsten Sinn immer gerade das kapiert, was sie nicht wissen soll. Aus diesem Grund stört ihn nun ihre Anwesenheit in seinem eiligen Mitteilungsbedürfnis, und er befiehlt ihr darum kurz und bündig:

„Schälen Sie die Kartoffeln auf dem Hof!"

Der überraschten Rosa bleibt vor Schrecken und Staunen der törichte Mund weit offen stehen, sie rührt sich keineswegs von ihrem gewohnten Platz. Sie sieht nicht ein, warum sie plötzlich die Kartoffeln auf dem Hof schälen soll, folglich bleibt sie stur auf ihrem Schemel sitzen und nimmt mit gesteigertem Eifer eine neue Knolle in Angriff.

Vater Schweitzer, wie ein Despot in Haus und Hof regierend und gewohnt, daß all' seine Befehle mit entsprechendem Tempo ausgeführt werden, gerät in maßlose Wut. Dieses dämliche Weibsbild wagt es, seine Anordnungen zu ignorieren. Zudem will er seine überwältigende Neuigkeit so schnell wie möglich loswerden, sie könnte ihm sonst das Herz abdrücken. Er brüllt nur ein einziges Wort, das jedoch mit aller ihm von der Natur verliehenen Kraft seines Organs: „Raus!"

Daraufhin flitzt das entsetzte Mädchen wie der Blitz aus der Tür. Das ist die Sprache, die es am besten versteht und auf die es schnell wie der Wind reagiert.

Angsterfüllt schaut die nicht weniger erschrockene Ehefrau ihrem Mann entgegen. Sein knallroter Kopf verheißt ihr nichts Gutes. Es ist also schiefgegangen mit dem Aufdenzahnfühlen! Aber es konnte ja nicht anders sein, sie wußte es schon im voraus. Sie kennt ihn doch bald fünfundzwanzig Jahre, er hat wieder einmal sämtliches Porzellan zerteppert.

Jedoch diesmal hat sie sich getäuscht, sehr gründlich sogar. Das scheinbar so wütende Gesicht glänzt triumphierend und freudestrahlend auf, kaum daß die Eheleute miteinander allein sind,

„Also stell' dir vor, er hat einen verblümten Antrag gemacht, man kann es nicht anders auffassen. Er sagte sogar, er wolle bald heiraten ... und er hat ganz von allein zu reden angefangen, bevor ich ihn etwas fragen konnte."

Der stolze Vater muß sich den perlenden Schweiß der Erregung von der Stirn wischen. Das erleichterte Aufatmen seiner Frau, wohl weil er den Jüngling nicht erst in die beabsichtigte Zange zu nehmen brauchte, entgeht seinen scharfen Augen natürlich nicht. Es bestätigt ihm den vermuteten Zweifel an seinem diplomatischen Geschick und wäre eigentlich ein triftiger Grund, sich beleidigt zu fühlen und einen kleinen Tobsuchtsanfall zu inszenieren, aber die jetzt gegebene Situation stimmt ihn ausnahmsweise gnädig.

„Koch anständig heute . . .“

Eigentlich ist diese Forderung eine kränkende Herabsetzung ihrer hausfraulichen Qualitäten. Er weiß doch längst, daß sie eine gute Köchin ist und sich immer Mühe gibt.

„Soll ich von dem Besten aus dem Keller raufholen? Aber nein, das wäre zu deutlich und zu feierlich . . . Du mußt überhaupt tun, als sei nichts geschehen, offiziell weißt du natürlich nichts.“

Er steckt plötzlich seine große rote Nase tief in die offene Bratpfanne hinein.

„Werden die Zwiebeln nicht zu braun? Es riecht so angebrannt . . . Na, ich werde den beiden eine Hochzeit ausrichten . . . Lisa ist ganz rotgeworden vorhin, das liebe Kind! Ob sich die beiden heimlich schon einig sind? Ach Gott, ist das hier eine Hitze . . .“

Schon wieder muß er sich das schwitzende Gesicht abwischen.

„Vergiß nicht, nachher die Schürze mit den zwei Fettflecken auszuziehen“, empfiehlt er zum Schluß noch eilig, und weg ist er wieder mit unglaublicher Schnelligkeit, trotz seines respektablen Leibesumfanges.

Mütterlich lächelnd sieht seine Frau ihm nach. Im Grunde seines Herzens ist er ja doch ein guter Kerl, trotz seines ewigen Polterns, das man eben nicht tragisch nehmen darf. Sonst könnte ihn die freudige Erregung über das in Aussicht stehende Glück seines Kindes nicht so umkrempeln, daß er sogar auf ihr Äußeres bedacht ist, daß er die beiden kleinen Fettspritzer gesehen hat, er, der sich sonst niemals auch nur im geringsten für ihr Aussehen interessiert.

Fred ist es, der sonst in diesem Kreis ziemlich Schweigsame, der mittags zwischen Suppe und Rindsbraten die angekündigte Absicht seines Freundes bestätigt und von der dringenden Notwendigkeit der sofortigen Abreise spricht. Auch er findet verbindliche Dankesworte für die genossene Gastfreundschaft, und er rühmt das liebliche Moseltal, dessen landschaftliche Reize viel zuwenig bekannt seien, aber ihn und natürlich auch Hermann geradezu bezaubert hätten.

„Die Kenntnisse der meisten Menschen in Bezug auf den Moselgau erschöpfen sich leider mit dem Wissen um die Güte seiner Weine. Ich werde meinem Bekanntenkreis von Ihrer schönen Heimat berichten und ihn im wahrsten Sinne des Wortes ins Bild zu setzen versuchen."

„Also hast du hier zufriedenstellende Motive für deine Kunst gefunden", stellt Hermann daraufhin mit scheinheiligem Ernst fest. „Das freut mich für dich, wir haben uns ja deshalb in der ganzen Gegend so gründlich umgeschaut."

Wie gut, daß Blicke nicht töten können — auch solche nicht, die blitzschnell aus den Augenwinkeln geschossen werden. Fred beherrscht sich vorbildlich und spricht gelassen weiter.

„Wir hatten eigentlich nicht die Absicht, uns so lange an einem Ort aufzuhalten."

Jeder am Tisch versteht den doppelten Sinn, der in seinen Worten liegt.

Nach einigem Hin und Her wird anschließend der Start zur Heimfahrt unwiderruflich auf den nächsten Morgen festgesetzt.

Bei dieser Ankündigung läßt Lisa traurig das lockige Köpfchen hängen, ohne den leisesten Versuch zu machen, ihren Abschiedsschmerz zu verbergen. Zur Schauspielerei hat sie nicht das geringste Talent. Sie zeigt freimütig ihre Gefühle, so wie sie auch unverblümt jedem ihre Meinung sagt. Wem das nicht paßt, der ist nicht ihr Freund.

Auf Hermann hat gerade ihre ungekünstelte Offenheit den unwiderstehlichen Reiz ausgeübt, dem er so schnell erlag, weil diese Natürlichkeit himmelweit entfernt ist von der berechnenden Raffinesse seiner bisherigen Angebeteten.

Am Nachmittag hat der Hausherr einen unaufschiebbaren

Geschäftsgang in den Ort zu tun, und Fred erbietet sich höflich, ihn zu begleiten.

„Für mich ist es eine kleine Abschiedsrunde."

Die fürsorgliche Hausfrau muß schon wieder in ihre Küche, weil sie mit einer besonders guten Abschiedsmahlzeit Ehre einlegen will. Das bedarf entsprechender Vorbereitungen.

Durch solch günstige Umstände endlich allein und ungestört, sinken Hermann und Lisa sich mit stürmischer Leidenschaft in die Arme. Dazu braucht kaum etwas gesagt zu werden, denn es kann gar nicht anders sein. Zwischen ihnen ist alles sonnenklar, es bedarf nicht vieler Worte und keiner langen Erklärungen. Es genügt ein zärtlich geflüstertes „Du", alles andere besorgen die beiden durstigen Lippenpaare. Die Macht ihrer gegenseitigen Gefühle hat sie vom ersten Kennenlernen an ungestüm und berauschend zueinander getrieben. Aus heiterem Himmel hat der gewisse unwiderstehliche Liebespfeil sie getroffen und seither steckt er zitternd mitten in ihren Herzen. Keiner hat den geringsten Zweifel an der innigen Zuneigung des anderen, wozu also groß Frage und Antwort? Sie können nicht mehr ohne einander sein, sie lieben sich heiß und glühend, ihr gemeinsamer Lebensweg liegt verheißungsvoll vor ihnen. Wenigstens scheint es so in diesen glücklichen Augenblicken.

Natürlich ist da zu Hause eine Hürde, die nicht leicht zu nehmen sein wird, der Widerstand seines Vaters. Ganz kann Hermann die zu erwartenden Schwierigkeiten nicht totschweigen, es wäre nicht fair. Man soll ein Zusammenleben nicht mit einer Täuschung des Partners beginnen. Aber Schwierigkeiten sind dazu da, überwunden zu werden, besonders von einem Mann, und was vermöchte ein junger, leidenschaftlich liebender Mann nicht zu überwinden?

„Mein Vater hat in Bezug auf eine Heirat von mir leider seine eigenen Pläne, die ich ihm zuerst ausreden muß. Das braucht seine Zeit. Das Alter hat ihn stur gemacht, und er ändert eine vorgefaßte Meinung nicht mehr gern. Sonst würde ich dich gleich zu ihm mitnehmen."

Mehr wagt er vorläufig nicht zu sagen. Im Gegenteil, er zerstreut mit hoffnungsvollen und beruhigenden Worten die aufkeimende Sorge in Lisas Blicken, wider besseres Wissen. Er weiß genau, es steht ihm ein heißer Kampf bevor. Der kluge Freund hat da nur zu sehr recht mit seinen schwarzsehenden Befürchtungen, aber das ist seine eigene Sache, das muß er allein ausfechten. Damit will er die kurzen Stunden bis zum Abschied nicht belasten, er will Lisas braune Augensterne heute nur strahlen sehen vor lauter Freude und Glück.

„Wenn mein Vater dich dann erst einmal kennengelernt hat . . ."

Ewige Illusion aller Liebenden, die übrige Welt würde durch genau die gleiche rosenrote Brille schauen wie sie selbst in ihrem impulsiven Gefühlsüberschwang. Unbewußt klammert auch Hermann sich an diese Wahnidee, sie ist so bequem, und sie überspielt für den Augenblick den leise nagenden Zweifel, der tief in seinem Innern revoltieren möchte.

Unendlich glücklich, auf dem gemütlichen Sofa eng aneinandergeschmiegt, genießen die selig Vereinten die paradiesische Wonne ihrer ersten Küsse und schmieden frohe Zukunftspläne. Das immer näher rückende Gespenst des morgigen Abschieds verliert seine ärgsten Schrecken durch tausend Versprechungen und heilige Schwüre, sich täglich zu schreiben, sich baldigst wiederzusehen und überhaupt so schnell als möglich zu heiraten.

„Jeden Abend, mein Liebling, wenn du ins Bett gehst, mußt du ganz fest an mich denken!"

Ganz großes feierliches Versprechen, gegenseitig natürlich!

Am nächsten Morgen steht der gelbe Wagen abfahrbereit vor der Haustür, umgeben von der ganzen Familie Schweitzer. Die Koffer sind untergebracht, die gegenseitigen guten Wünsche ausgetauscht, Freds lange Beine sorgfältig verstaut, es kann losgehen.

Mit einem lachenden und einem weinenden Auge sieht Lisa den geliebten Mann scheiden, es kann ja nicht lange dauern bis zum Wiedersehen. Sie winkt mit wehendem Tüchlein einen sehnsüchtigen Abschiedsgruß hinter ihm her, und sie winkt immer noch, als von dem gelben Auto und seinen beiden Insassen längst nichts mehr zu erblicken ist.

Sogar ihr rauhbeiniger Vater ist ganz gerührt von soviel

Liebe und Trennungsschmerz. Heimlich stößt er seine Frau in die Seite, um sie auf die wässrigen Augen des armen Kindes aufmerksam zu machen, aber die mitfühlende Mutter muß selber Tränen abwischen.

Da geht auch er schnüffelnd ins Haus zurück. Nicht auszudenken der Tag und die Stunde, in denen der eben abgereiste Mann die geliebte Tochter für immer entführen wird. Das wehende Tüchlein der frischgebackenen jungen Ehefrau wird dann den einsam zurückbleibenden Eltern den Abschiedsgruß zuwinken . . .

Wenn Vater Schweitzer abends im Schlafzimmer mit seiner Frau allein ist, bespricht er mit Vorliebe das für ihn unerschöpfliche Thema von Lisas baldiger Heirat. Wer ihm früher gesagt hätte, er würde sich einmal freuen, seine Tochter so bald aus dem Haus gehen zu sehen, dem hätte er glatt den Kragen umgedreht. Welch ein Unsinn! Wie kann ein liebender Vater seine Einzige gern hergeben, sie einem wildfremden Mann auf Gedeih und Verderb ausliefern, wenn sie kaum zwanzig ist!

Jetzt hat er seinen Standpunkt grundlegend geändert, von heute auf morgen. Theorie und Praxis sind eben in der Mehrzahl aller Fälle meilenweit voneinander entfernt. Er ist von der unerwartet schnellen Wahl seiner Tochter restlos befriedigt. Nicht nur gefällt ihm ihr zukünftiger Ehemann ganz ausgezeichnet, und scheint das liebe Kind von Herzen glücklich zu sein, nein, er wittert nebenbei erstklassige geschäftliche Verbindungen voraus. Kann für einen Weinbauern und Weinhändler, wie er beides in einer Person ist, ein junger Mann als Schwiegersohn geeigneter sein als der Besitzer einer gutgehenden Weinstube?

Zum x-ten Male erklärt er seiner Frau ausführlich die verheißungsvollen Aussichten, die sie längst auswendig weiß.

„Erzeuger und Verbraucher in einer Familie, jeder Zwischenhandel ausgeschaltet, da muß doch ganz groß verdient werden. Denn gerade der Zwischenhandel frißt soviel Geld."

Er reibt sich oft und immer öfter die Hände, das Geschäft wird richtig!

In der stillen Zeit, als der neue Wein im Faß ist, und im Freien nicht mehr gearbeitet werden kann, ergreift ihn eine merkwürdige Unruhe. Er geht ungewohnt oft treppauf und treppab, als inspiziere er das ganze Haus. Er kramt und sucht in allen vollgepfropften Schubladen, kein Mensch weiß was. Er raunzt und nörgelt von früh bis spät mit allen Hausbewohnern, niemand erfährt recht warum. Er ist oben und unten, überall und nirgends, und seine Stimmung ist dem unbeständigen Aprilwetter vergleichbar, Sonne und Regen wechseln einander ab. Meist aber steht das Barometer auf Sturm.

Seine beiden Frauen sind allmählich ratlos. Nichts kann man dem grantigen Haustyrannen rechtmachen, an allem findet er etwas auszusetzen. So ist es geradezu eine Erlösung für das ganze Haus, als er eines trüben Vormittags am Frühstückstisch verkündet, er müsse geschäftlich verreisen.

„Ich kann nicht sagen für wie lange, nur für ein paar Tage oder vielleicht für eine Woche, je nachdem."

Endlich hat er einen Entschluß gefaßt. Das wahre Ziel seiner Reise verschweigt er wohlweislich seiner Frau wie auch der Tochter. Erstere mit ihrer ewigen Schwarzseherei würde wie immer nur unken und fatale Komplikationen voraussagen, sie findet doch bei allem ein Wenn und Aber. Und Lisa würde natürlich unter allen Umständen mitkommen wollen. Aber gerade das will er nicht. Nein, er will keine Begleitung, diese Fahrt muß er zunächst einmal allein machen. Er muß einfach die Weinstube der Familie Münzer kennenlernen, seine Neugier bringt ihn sonst um. „Ein feines Lokal", hatte Fred es auf dem letzten gemeinsamen Spaziergang gelobt, und der muß es ja wissen.

Vor sich selbst entschuldigt der Entdeckungsreisende seine Heimlichtuerei mit der väterlichen Pflicht, sich genau über die Verhältnisse orientieren zu müssen, in welche sein einziges Kind hineinheiraten wird.

Donnerwetter, so nobel hatte er sich die Sache nicht vorgestellt! Das Restaurant ist sehr vornehm, sehr kultiviert, mit einem Wort erstklassig.

Die Tische sind blütenweiß gedeckt und ohne Ausnahme mit frischen Blumen in kleinen silbernen Vasen geschmückt.

Eine Reihe gemütlicher Nischen zieht sich an der einen Längswand hin.

Die Möbel sind dunkel und schwer und gediegen, die Vorhänge sind duftig und hell und mit Spitze versehen. Das alles ist wegen des trüben Tageslichts jetzt schon von einer unaufdringlich schimmernden, weil indirekten Lichterflut beleuchtet.

Zwar hat der Winzer von der Mosel seinen besten Anzug angezogen und sich überhaupt so fein als möglich gemacht, um im Fall eines Falles einen möglichst günstigen Eindruck zu erwecken, aber das sieht er trotzdem auf den ersten Blick: eigentlich paßt er in dieses exklusive Lokal nicht recht hinein. Es ist nicht seine Welt, er ist dafür zu derb, er ist eben ein Bauer. Nicht daß diese Erkenntnis irgendwelche Minderwertigkeitskomplexe in ihm auslösen könnte. Weit gefehlt! Schließlich schaffen er und seinesgleichen mit ihrer schweren und unermüdlichen Arbeit im Weinberg die Voraussetzung für eine solche Weinstube, in der ihre edlen Erzeugnisse kredenzt werden. Nur seine gesunde pfiffige Bauernschläue sagt ihm, dies hier ist kein geeigneter Boden für dich, trotz Geld und Gut und Reben.

Ja, seine Lisa, die wird sich dieser feudalen Umgebung ohne weiteres einfügen, ohne daß sich die geringsten Schwierigkeiten ergeben werden. Das hat wohl der angehende Schwiegersohn als cleverer Geschäftsmann auch gleich erkannt. Sie bringt für dieses Metier genau das richtige Wesen mit und ein gesundes Mundwerk dazu, das ist sehr wichtig. Er freut sich heute, daß er sie in die gute Pension geschickt hat, um Schliff zu bekommen, und nur widerwillig erinnert er sich, wie sehr er anfangs dagegen war. Er hatte befürchtet, es würden ihr zuviel moderne Mätzchen beigebracht und sie dem ländlichen Heimatboden entfremdet werden. Jetzt muß er bei sich zugeben, die hohe Ausgabe für die sündhaft teure

Pension macht sich bezahlt, mit Zins und Zinseszins sogar, und dabei ist Lisa nicht voll von affektiertem Getue zurückgekommen, sondern sein frisches natürliches Mädel geblieben. Sie ist keinen Deut anders als vorher auch.

„Bitte sehr, mein Herr!"

Der elegante Ober, der dem unbekannten neuen Gast mit undurchdringlicher Miene den schweren Lodenmantel abnahm, bringt eine imponierende Weinkarte, das heißt, eigentlich ist es keine der üblichen Karten. Es ist ein schmales Buch mit einem Einband aus feinstem, weichem hellbraunen Leder, im Falz mit einer farblich gut abgestimmten Seidenkordel zusammengehalten.

Vater Schweitzer dreht es mißbilligend in seinen vierschrötigen Händen. Was für ein Firlefanz! Wozu denn das? So etwas brauchen edle Weine nicht, die sprechen für sich selbst. Er wird seinem angehenden Schwiegersohn gelegentlich seine Meinung darüber sagen.

Er schlägt den Umschlag auf und vertieft sich mit Behagen in das eingehende Studium dieses noblen Verzeichnisses. Für einen kundigen Weinhändler ist solche Lektüre stets eine willkommene Information, die er mit dem größten persönlichen Interesse zur Kenntnis zu nehmen pflegt.

Indessen, sein anfängliches Behagen weicht schnell einer hellen Empörung. Je länger der Bauer liest, desto größer werden seine staunenden Augen, desto heftiger schwillt sein gerechter Zorn, denn die Weine sind samt und sonders viel zu teuer. Er als Fachmann kann das genau beurteilen, er weiß Bescheid. Ja sind denn die Leute hierzulande alle miteinander verrückt geworden? Die einen, die Dreisten, solche Preise schamlos zu verlangen — die andern, die Dummen, solche Preise gutwillig zu bezahlen. Er ist weiß Gott selber ein Geschäftsmann, der gutes Geld verdienen will, aber solche skrupellosen Praktiken lehnt er denn doch ganz entschieden ab.

Es ist selbstverständlich Ehrensache, auch in der Fremde den vertrauten Heimatwein zu trinken, also sucht der kritische Gast nicht lange aus, bevor er seine Bestellung aufgibt. Aller dings hat er seinen geliebten Moselwein noch niemals zu dem hier verlangten Phantasiepreis genossen.

Im silbernen Kübel wird die gewünschte Flasche gebracht, in ein geschliffenes Glas wird der goldene Wein gegossen, alles lautlos, vornehm, eine feierliche Zeremonie. Voller Vorfreude auf den erhofften Genuß hebt der einsame Besucher sein Glas. Seine Überlegungen sind in die nächste Zukunft gerichtet, die voll froher Erwartungen vor ihm liegt. In Gedanken trinkt er bereits auf das Wohl des jungen Paares. Er hält den Wein gegen das Licht und nickt befriedigt vor sich hin, die Farbe ist gut. Dann führt er den edlen Tropfen unter der Nase durch, um die Blume gebührend würdigen zu können. Nanu ... Er wundert sich, und prompt erlischt die Zufriedenheit auf seinem roten Gesicht. Er nimmt den ersten Schluck und läßt den Wein langsam und prüfend über die Zunge rollen. Seine Enttäuschung ist grenzenlos. Da stimmt etwas nicht, das ist nicht sein geliebter Heimatwein. Nach einem zweiten und dritten Probeschluck ruft er entschlossen den Kellner herbei.

„Herr Ober!"

Sein dicker kurzer Zeigefinger deutet nachdrücklich auf die Neige in seinem Glas.

„Das ist nicht der Wein, den ich bestellt hatte."

Der vornehme Herr Ober zieht äußerst erstaunt über diese unglaubwürdige Feststellung beide Augenbrauen in die Höhe, aber vorbildliche Selbstbeherrschung bei unliebsamen Reklamationen gehört zu seinem Beruf.

„Bitte sehr, mein Herr!"

Mit sichtlich gekränkter Miene nimmt er mit Hilfe seiner blütenweißen Serviette die Flasche aus dem Silberkübel und hält dem unzufriedenen Gast das Etikett zur Kenntnisnahme hin. Tatsächlich, das stimmt, aber auch nur das!

Vater Schweitzer läuft rot an wie ein kollernder Truthahn.

„Ja, lesen kann ich auch! Aber der Inhalt der Flasche stimmt nicht mit dem Etikett überein. Kann da ein Irrtum vorliegen?"

Diesmal ist der Ober richtiggehend beleidigt. Kommt da so

ein derbes Mannsbild, wie es im Grunde gar nicht hierher paßt, hereingeschneit und hat an der Qualität der Weine zu mäkeln. Das hat man gern! Die Stammgäste aus ganz anderen Gesellschaftskreisen trinken jeden Wein und zahlen jeden Preis, ohne mit der Wimper zu zucken.

„Ein derartiger Irrtum ist in einem Etablissement wie dem unsrigen vollkommen ausgeschlossen", belehrt der loyale Angestellte des Hauses den nörgelnden Fremden von oben herab, sehr von oben herab.

Nichts kann Vater Schweitzer weniger vertragen als ungerechtfertigte Selbstherrlichkeit, darum hat der leicht ironische und deutlich überhebliche Ton dieser Auskunft eine unerwartete Wirkung. Der unbekannte Gast haut unvermittelt mit voller Wucht seine kräftige Männerfaust auf den Tisch, wirft einen ausreichenden Geldschein neben sein ungeleertes Glas und verläßt dröhnenden Schrittes, seinen Mantel vom Haken reißend, mit grimmigem Blick das Lokal.

Rüpel, denkt der vornehme Kellner geringschätzig hinter ihm her, doch macht er pflichtgemäß eine korrekte Abschiedsverbeugung in Richtung der Tür. Er hat gelernt, was sich gehört. Wie gut nur, daß um diese frühe Stunde keine anderen Gäste da sind, vor allem keine der vornehmen Stammkunden, denn eine Empfehlung für eine renommierte Weinstube war dieser unerquickliche Auftritt selbstverständlich nicht.

Na, das soll nicht seine Sorge sein! Er serviert, was man ihm am Büfett hinstellt, nur das ist seine Aufgabe. Weiter reicht seine Verantwortung nicht, mit der Qualität des Gebotenen hat er nichts zu tun. Wo käme man hin, wenn man sich bei jedem Gemecker gleich aufregen wollte. Überflüssig also, dem Chef die fatale Episode überhaupt zu melden.

Der Winzer von der Mosel hat nach der eiskalten Dusche, die der Besuch in der Münzerschen Weinstube ihm versetzt hat, übergenug von der großen Stadt. Seine optimistischen Erwartungen in bezug auf das Glück seiner Tochter sind total zusammengebrochen. Seine hochgeschraubten Hoffnungen auf besonders lukrative Geschäfte sind auf das bitterste enttäuscht worden. Für ihn ist das ein dicker Strich durch seine sämt-

lichen Rechnungen. Er frißt seinen wilden Grimm in sich hinein, so gut er es vermag, und trottet mit Gift und Galle geladen zu Fuß zum Bahnhof, denn jetzt in irgendeinem geschlossenen Vehikel sitzen zu müssen, das hielte er nicht
aus, er würde explodieren vor Wut.

Den staunenden und amüsierten Passanten auf der Straße
bietet sich ein nicht alltägliches Bild. Unbekümmert vom hek-
tischen Getriebe um ihn herum stapft da ein klotziger Kerl
rücksichtslos quer durch alle Verkehrsteilnehmer hindurch.
Er geht keinem aus dem Weg. Er sieht die Menschen gar
nicht, sondern rempelt sie links und rechts an wie ein Blin-
der. Er schimpft vor sich hin und fuchtelt mit den Armen.
Kein Zweifel, er ist irgendwie außer sich, aber einen Rausch
kann er nicht haben, denn kein Betrunkener würde so fest
und sicher auf dem Asphalt seinem Ziel entgegenstreben. Das
stimmt natürlich, er ist nicht voll des süßen Weines, sondern
er ist geladen mit einer unbändigen Empörung, die jeden
Augenblick zu bersten droht.

Der alte Bauer will jetzt nur noch nach Hause, weg von
aller übrigen Welt, heim in die Ruhe und Geborgenheit seiner eigenen vier Wände. Die Wartezeit kriecht ihm endlos
dahin. Zu allem Unglück findet sich auf der Rückfahrt kein
passender Partner im Abteil, mit dem eine ablenkende Unterhaltung möglich wäre. Nur in der gegenüberliegenden Ecke
schnarcht ein Mitreisender leise vor sich hin, das Gesicht von
seinem Mantel halb verdeckt. Wenigstens werde ich meine
Ruhe haben, denkt Vater Schweitzer resigniert. Aber nein,
das Schicksal will es anders. In letzter Minute wird die Ab-
teiltür aufgerissen und herein stürmt ein junges Paar, erhitzt
und atemlos, lachend und froh, es noch geschafft zu haben.
Die beiden sitzen natürlich eng aneinandergeschmiegt, Händchen haltend, sich tief in die Augen sehend, ständig flüsternd
und kichernd. Das verliebte Getue hat ihrem Gegenüber gerade noch gefehlt, weil es ihn ständig an Lisa und ihren be-
trügerischen Weinpanscher erinnert. Es bringt die Schale
seiner Erbitterung vollends zum Überlaufen.

So entlädt sich nach seiner überraschend schnellen Heimkehr wie ein Blitz aus heiterem Himmel ein fürchterliches

Donnerwetter von nie erlebtem Ausmaß. Er läßt niemand die Zeit, nach dem Grund seiner umgehenden Rückreise zu fragen. Seine beiden ahnungslosen Frauen, in schönster Eintracht gemütlich im Wohnzimmer sitzend, starren dem zornentbrannten Wüterich verstört und fassungslos entgegen.

„Schlag dir den jungen Münzer aus dem Kopf!"

Das sind seine an Lisa gerichteten Begrüßungsworte. Schwer atmend wirft er Hut und Mantel achtlos in die Sofaecke.

„Du brauchst die Aussteuer gar nicht weiter zu nähen."

Das gilt seiner mit einer Näharbeit beschäftigten Frau. Sie flickt zwar nur ein altes Küchenhandtuch, aber seine wütenden Augen sehen im Augenblick in jedem weißen Lappen ein Stück der nun überflüssig gewordenen Aussteuer.

Mutter und Tochter sehen sich entgeistert an. Sollte er getrunken haben?

Voll hellsichtigen Mißtrauens errät der Bauer sofort den Sinn des stummen Frage- und Antwortspiels der beiden Augenpaare.

„Ich bin nicht besoffen . . ."

„Aber Mann . . .", wagt seine Frau beschwichtigend einzuwerfen.

„. . . nur wütend bin ich, so wütend wie noch nie in meinem ganzen Leben. Einen sauberen Schwiegersohn hätten wir uns da ins Haus genommen, das muß ich sagen, einen Schuft, einen Betrüger, einen Weinpanscher!"

„Vater!" schreit Lisa auf und springt in die Höhe, kreideweiß im Gesicht.

„Schweig!" donnert er ihren Einwurf nieder. „Ein Weinpanscher ist er, sag ich dir, er und sein sauberer Vater dazu."

„Mann, woher willst du das wissen? Wie kannst du das behaupten?"

„Ich bin dort gewesen, jawohl, in der feinen Weinstube von Münzer, da ging meine Reise hin. Da ist alles hochvornehm, viel zu nobel für unsereinen, für uns einfache ehrliche Winzer. Nur mit dem Wein, da sind sie gar nicht so vornehm. Die Flaschen und die Etiketten, die sind richtig, aber die Preise sind hundsgemeiner Wucher, und der Wein ist ein elendes Gesöff, ein miserables gepanschtes Gesöff!"

Er muß verschnaufen, die Empörung schneidet ihm die Luft ab, er muß neue Kraft und neuen Atem schöpfen.

„Daß sich die Leute nicht schämen! Man sollte annehmen, sie setzten ihre Ehre darein, in einer ausgesprochenen Weinstube edle reine Weine auszuschenken. Ha! Ehre! Geschäftsehre! Betrug ist das alles, Betrug an den Gästen und hundsgemeiner Betrug an uns, den Erzeugern. Überhaupt hat man im Mittelalter im Elsaß die Weinfälscher ertränkt!"

Mit beiden Fäusten haut er sich an seinen mächtigen Brustkasten.

„Wir leisten die Arbeit, die saure Arbeit, von der die meisten Städter keine blasse Ahnung haben. Wir plagen uns das ganze Jahr über im Weinberg, die wissen kaum, wie einer aussieht. Und was alles müssen wir mit Menschenkraft die steilen Hänge hinauf- und hinunterschaffen! Wenn uns ein Gewitterregen die Erde vom Berg herunterwäscht, müssen wir den abgerutschten Grund mühsam wieder hinaufschleppen. Wieviel Arbeit, wieviel Kraft kostet das ein Menschenleben lang! Und dann kommen solche gemeinen Halunken, solche ehrlosen Betrüger, und verkaufen ihre elende Panscherei unter unserem ehrlichen Namen, noch dazu zu unverschämten Wucherpreisen."

Jetzt spricht der tiefgekränkte Weinbauer aus ihm, der das kostbare vielgerühmte Produkt seiner schweren Arbeit so gering geachtet und zum Objekt gemeiner Machenschaften herabgewürdigt sieht.

Beängstigend gerötet ist sein Gesicht, auf der Stirn sammeln sich perlende Schweißtropfen.

Lisa ist vor ihren Vater hingetreten, jetzt hochrot wie er, aber fest und sicher.

„Hermann ist bestimmt an diesem Betrug unbeteiligt, davon bin ich überzeugt, ich kenne ihn doch so gut . . ."

„Halt den Mund!" braust der Alte von neuem auf, „und schlag dir einen Mann aus dem Sinn, der keinen Funken Verständnis hat für die saure Arbeit der Leute, die ihm durch ihr lebenslanges Schaffen überhaupt erst die Existenz ermöglichen. Wer weiß, was dieser Kerl für heimtückische Absichten hatte, als er ausgerechnet mit der Tochter eines

Weinbauern anbändelte. Du wärst am Ende ein bequemes Mittel zu unsauberem Zweck gewesen in deiner Vertrauensseligkeit . . ."

In seiner grenzenlosen Wut vergißt er vollkommen, daß er bis zum heutigen Tag ebenfalls von der Anständigkeit seines Schwiegersohns überzeugt und von dessen Person überhaupt sehr angetan war.

„Der Kerl darf mir mein Haus nicht mehr betreten und seinen Namen will ich in meinen vier Wänden nicht mehr hören. Das ist mein letztes Wort!"

„Und ich verlange, daß zuerst nachgeprüft wird, ob Hermann überhaupt gewußt hat . . ."

„Gar nichts hast du zu verlangen, Kinder haben ihren Eltern zu gehorchen. Bei mir ist das noch so, merk dir das! Schluß jetzt, die neuen Moden mache ich nicht mit. Die Liebelei wird schnell vergessen sein, nächstes Jahr heiratest du einen anderen."

„Nein, Vater, ich heirate keinen anderen!"

Lisas Stimme klingt so fest und bestimmt, ihr Auftreten ist so selbstbewußt und sicher, daß dem verblüfften Vater für einen Moment die Worte versagen. Das fehlt ihm gerade noch, daß der respektlose radikale Widerspruchsgeist der heutigen Jugend in seine eigene Familie einbricht.

Gewiß, Lisa hat immer leicht aufgemuckt, sie hat kein fügsames Wesen, und als einzigem Kind hat man ihr vieles nachgesehen. Zuviel anscheinend, jetzt rächt es sich, doch so entschieden wie heute widersprach sie nie. Aber offenbar hat das noch einen tieferen Grund. Was da vor ihm steht, ist kein eigensinniges Kind mehr, das nur seinen Willen durchsetzen will. Das ist eine junge Frau, die mit der ganzen Kraft eines starken Gefühls ihren angegriffenen Liebsten verteidigt. Die schweren Anschuldigungen, die gegen ihn erhoben wurden, sind wirkungslos an ihr abgeprallt. Sie hat absolutes Vertrauen zu dem Mann ihrer Wahl, und eigentlich ist das die beste Grundlage für eine gute Ehe.

Maßloser Zorn und eine aufkeimende Eifersucht, durch gerade diesen Mann aus dem kindlichen Herzen seiner Tochter verdrängt worden zu sein, machen den Vater ungerecht und brutal. Zudem hat er noch nie in seinem Leben den geringsten Widerspruch vertragen können, berechtigten oder unberechtigten.

„Zum letzten Mal sage ich dir, du heiratest ihn nicht!" brüllt er mit voller Lautstärke und haut auf den massiven Eichentisch, daß Tassen und Teller klirren.

Steil blickt ihm die Tochter in die zornsprühenden Augen hinein, sie sieht ihm verblüffend ähnlich in diesen Minuten. Da stehen sich zwei Menschen gegenüber, die aus dem gleichen Holz geschnitzt sind, beseelt von dem gleichen unbeugsamen Willen. Nach einer langen Pause erst kommt Lisas Antwort, ruhig, furchtlos, beinahe nüchtern, aber mit einer eisernen Entschlossenheit.

„Und ich sage dir zum letzten Mal: ich werde Hermann heiraten! Ich muß Hermann heiraten!"

Aus! Stille! Grabesstille! Man könnte eine Fliege husten oder einen Regenwurm kriechen hören.

Der alte Bauer ist wie vom Donner gerührt, also das ist denn doch ... Diesmal verschlägt es ihm, ein seltener Fall, total die Sprache. Er reißt den Mund auf, ohne ein Wort herauszubringen. Er keucht und schnauft und schnappt nach Luft, dabei stiert er seine Tochter an, als sei sie ein seltenes exotisches Exemplar aus dem Zoologischen Garten. Das muß ihm passieren, daß seine Tochter ... seine Lisa ...

Es ist einfach zuviel für ihn. Schwer läßt er seine zwei Zentner Lebendgewicht auf den nächsten Stuhl krachen, die beiden Frauen wagen kaum zu atmen. Das rote Gesicht ist eine einzige unheilschwangere Gewitterwolke, doch er ist so ruhig geworden, direkt zum Fürchten ruhig, das kennen sie nicht an ihm. Viel eher waren sie auf einen seiner üblichen gefürchteten Tobsuchtsanfälle gefaßt.

Und er kommt, er läßt tatsächlich nicht lange auf sich warten, alle Schleusen tun sich auf! Die erste unnatürliche Reaktion auf Lisas schockierende Eröffnung war nur die Ruhe vor dem Sturm, vor dem Orkan der väterlichen Wut, der sich austoben muß wie jeder andere Orkan, ohne Möglichkeit des Aufhaltens oder Eindämmens von irgendeiner Seite.

„Du verläßt sofort das Haus! Auf der Stelle! Von heute an habe ich keine Tochter mehr!"

Es ist eine beinahe theatralische Szene, würdig des Eröffnungsaktes eines Dramas, bitterernst für alle Beteiligten.

Als Lisa sich bebend zur Tür wendet, vor Erregung an allen Gliedern zitternd, ohne ein Wort der Entgegnung, aber auch ohne eine Träne im Auge, ruft er sie noch einmal zurück.

„Halt! Warte!"

Er geht an seinen Schreibtisch und wühlt aufgeregt zwischen den unordentlich herumliegenden Papieren in der tiefen Schublade, dann findet er endlich, was er sucht. Er entnimmt ihr ein dünnes Heft und schleudert es Lisa mit Vehemenz vor die Füße.

„Hier, dein Sparkassenbuch! Damit mir kein Mensch auf der Welt nachsagen kann, ich hätte meine einzige Tochter wie ein Bettlerkind auf die Straße gejagt."

Lisa schaut kurz auf den dunkelroten Einband nieder, scheint etwas zu überlegen und fegt dann mit wohlgezieltem Schwung ihres rechten Fußes das inhaltschwere Büchlein in die entfernteste Zimmerecke. Es verschwindet unter einem Schrank.

„Danke!" sagt sie eisig. „Ich verzichte."

Die unerwartete Großzügigkeit ihres Vaters hat keinen Eindruck auf sie gemacht.

Wenige Sekunden später hat sie die Zimmertür nachdrücklich hinter sich geschlossen.

Jetzt schluchzt die Mutter laut ihren Kummer heraus, bis dahin hatte sie nur still in ihr Taschentuch geweint.

„Hör auf zu flennen!" sagt ihr Mann grob, doppelt grob, weil ihm nicht so ganz wohl ist in seiner Haut. Aber diesmal gehorcht die sonst so fügsame Frau seinem Befehl nicht. Im Gegenteil, er scheint ihre Tränendrüsen zu gesteigerter Absonderung anzuregen. Sie kann überhaupt nur passiven Widerstand leisten, ein energisches Auftreten ist ihrem zaghaften Wesen unmöglich, und an der Seite dieses rücksichtslosen Cholerikers ist sie im Lauf von mehr als zwanzig Ehejahren vollends verschüchtert. Ihren rabiaten Mann in seinen lauten Jähzornsausbrüchen zu beschwichtigen oder ihm gar entgegenzutreten und ihm die Stirn zu bieten, diesen Versuch hat sie niemals gewagt.

Immer noch weinend, steht sie auf und macht Miene, der Tochter zu folgen.

„Du bleibst hier!" befiehlt der unerbittliche Haustyrann wiederum kategorisch, und sie sinkt ergeben auf ihren Sitz zurück. „Eilige Leute soll man nicht aufhalten."

Er ist, wenn möglich, noch wütender geworden, seit Lisa es gewagt hat, sein Geld zurückzuweisen. Kein Dank für seine gute Absicht, sondern ein Fußtritt! Und was für einer! Dabei kennt sie genau den Wert des Buches. Eigentlich imponierend! Ach was, das ist ein mißratenes Geschöpf durch und durch. Keine Moral und keine Achtung vor dem sauer verdienten Geld. Die wird sich auch noch umgucken in ihrem Leben, die wird den Wert des Geldes auch noch kennenlernen ... einfach mit einem Fußtritt etliche Zehntausend unter den Schrank zu fegen! Übrigens, das enttäuschte Gesicht des sauberen Liebhabers möchte ich sehen, wenn sein daheim entlaufenes Mädchen als ein Fräulein Habenichts bei ihm erscheint, ohne einen roten Heller in der Tasche ...

Am Fenster stehend, trommelt er seinen üblichen Gewaltmarsch gegen die blanken Scheiben. Wenig später kracht die schwere Haustür ins Schloß, so dröhnend, so unüberhörbar, wie solches zu tun bisher ausschließlich ein Privileg des Hausherrn war, wenn er nämlich in äußerster Rage das Haus verließ, um einen siedenden Ärger an der frischen Luft auszukühlen.

Jetzt sieht er, ob er will oder nicht, im hellen Schein der Außenbeleuchtung seine mißratene Tochter in Hut und Mantel das Elternhaus verlassen, einen kleinen Koffer in der Hand. Ihr Schritt ist energisch und zielbewußt wie überhaupt die ganze resolute Person. Sie weiß anscheinend genau, was sie will, und sie wirft keinen Blick zurück.

Dann hat die Dunkelheit sie schnell verschluckt.

Am nächsten Tag reicht der Weinbauer und Weinhändler

Nikolaus Schweitzer gegen den Gastwirt Hermann Münzer Klage ein wegen Betrugs. So, damit hat er unter diese unsaubere Geschichte einen definitiven Schlußstrich gezogen. Der panscht in Zukunft keine Weine mehr!

Krampfhaft versucht Vater Schweitzer in der folgenden Zeit, seine Gedanken nicht in eine ganz bestimmte Richtung abschweifen zu lassen. Die Sache ist gar nicht so einfach, wie er sich das dachte. Es gehört sehr viel Willenskraft dazu und auch Beharrlichkeit, man muß sich bewußt ablenken. Also beschäftigt er sich Tag für Tag mit hundert ihm widerwärtigen Kleinigkeiten. Er räumt gründlich auf in seiner liegengebliebenen Korrespondenz, und es entspricht ganz seiner augenblicklichen Stimmung, daß er dabei mehrfach Grund zu handfesten Beschwerden findet. Was denken sich die Leute eigentlich? Denen gehört einmal richtig die Meinung gesagt! Er kramt umständlich in seinen verschiedenen Schubladen mit dem Erfolg, daß das darin herrschende Durcheinander noch viel größer wird. Jetzt wird man so leicht überhaupt nichts mehr finden! Er zerrt aus dunklen Kellerecken jahrelang verschollene und unglaublich verstaubte Holzkisten ans Tageslicht und jagt sich dabei einen Holzspan tief unter den Daumennagel. Seine Frau muß ihn verarzten, und er stöhnt dabei vor Schmerzen, als würde er gefoltert. In der Hauptsache aber zankt er sich mit allen Leuten herum, die ihm über den Weg laufen. Er stelzt durchs Haus und sucht nach Gründen, um Krach machen zu können, einfach um seiner inneren Spannung ein Ventil zum Ablassen zu verschaffen. Zündstoff liegt überall in der Luft und ist leicht zu finden, besonders wenn man ihm beständig nachjagt.

Seine geplagte Umgebung duldet schweigend Unrast und Ungerechtigkeit, schließlich kennen alle den wahren Grund seiner ewig schlechten Laune. Jeder Widerspruch würde nur neue heftige Aufregungen heraufbeschwören. Um Gottes willen nein, nur das nicht! Lieber Grabesstille im ganzen Haus als lautstarkes Randalieren ohne Ende.

Die strafende Gerechtigkeit beschert dem rastlosen Wüterich aus heiterm Himmel eine kleine Überraschung, die zwar minimal ist, aber trotzdem eine beunruhigende Wirkung auslöst. Er fischt eines Morgens zu seinem grenzenlosen Erstaunen einen wohlbekannten Umschlag aus seiner umfangreichen Post heraus. Nanu, was soll denn das heißen? Noch einmal ein Brief von Hermann Münzer an Lisa? Wieso denn das?

Dumpf brütend sitzt er an seinem Schreibtisch und vergißt sogar wichtige Aufträge. Er hatte als selbstverständlich angenommen, daß seine Tochter unverzüglich, von brennender Sehnsucht beflügelt, zu ihrem Liebhaber geeilt sei. Weshalb hätte sie sonst so flugs und klaglos das Elternhaus verlassen, ohne jedes Veto? Sie konnte ja gar nicht schnell genug wegkommen. Er vergißt ganz, daß er sie ein für allemal hinausgeworfen hatte, in einem Tonfall, der jeden Widerspruch sinnlos machte. Oder sollte dieser ominöse Brief schon älter sein und nur aus Versehen länger unterwegs gewesen als normal? So etwas kommt gelegentlich vor. Aber nein, er ist von gestern, das Datum des Poststempels stimmt.

Jetzt kennt Vater Schweitzer sich überhaupt nicht mehr aus. Eine mysteriöse Angelegenheit ist das Ganze, er weiß sich keinen Rat mehr und kratzt sich lange am Hinterkopf. Ob er das rätselhafte Schreiben nicht einfach verbrennen soll, damit es ihm aus den Augen kommt? Er hat gerade ein Streichholz angefacht, da hört er die Schritte seiner Frau auf dem Flur. Himmeldonnerwetter, immer stört ihn dieses Weib! Hat es denn nichts in seiner Küche zu tun? Aber vielleicht war die Störung ganz gut, und er legt den Brief doch besser in die Schreibtischschublade, ungeöffnet natürlich, ziemlich weit nach hinten und zugedeckt von viel anderem Papierkram. So, jetzt ist er auch weg, kein Eckchen mehr davon zu sehen.

Befriedigt knallt der Bauer die Schublade zu und hat trotzdem ein ungutes Gefühl in der Magengrube. Das hat er zwar schon seit jener Stunde, in der Lisa das Haus verließ, aber auf dieses unbegreifliche Schreiben hin hat es sich merklich verschlimmert. Da ist doch etwas faul! Da stimmt doch etwas nicht! Auch mit diversen scharfen Schnäpsen ist der bohrende Argwohn nicht aus der Welt zu schaffen, daß es seinem einzigen Kind zur Zeit nicht gutgeht, daß es womöglich seine erste bittere Enttäuschung erlebt hat. Armes Wurm! Der unergründliche tief sitzende und sorgsam vor aller Welt verborgene weiche Kern unter der rauhen Schale beginnt sich leise zu regen und sich dem ihn beherrschenden Willen zu entziehen. Zugeben wird der alte Berserker das natürlich nicht, denn Gefühlsäußerungen sind in seinen Augen unmännlicher Weiberkram.

Ungefähr zur gleichen Zeit bringt der Postbote in das Haus Münzer einen ausführlichen Brief von Lisa an ihren Liebsten. Da jeder Geschäftsmann seinen Tagesablauf mit der Durchsicht der eingegangenen Post beginnt, so kommt es, daß auch dieser Brief in die falschen Hände gerät und einen erbitterten Wutanfall auslöst, weil Briefpapier und Handschrift inzwischen nur allzu bekannt geworden sind. Jedoch ist Hermanns erboster Vater weitaus skrupelloser als sein ferner Ankläger von der Mosel. Lisas liebevoll erklärende Worte werden in tausend Fetzen gerissen und noch am Boden von wütenden Fußtritten erbarmungslos zertrampelt.

Was will diese einfältige Bauerndirne noch von seinem Sohn? Ihren guten Fang nicht aus den Klauen lassen natürlich. Die hatte die einmalige Gelegenheit mit beiden Händen beim Schopf gepackt. Mit der verflixten Eselei von dem Bengel fing überhaupt der ganze Ärger an. Daß der aber auch so blödsinnig sein konnte, sein eigen Fleisch und Blut, man sollte es nicht für möglich halten! Wäre ohne diese verdammte Liebelei der Alte von der Mosel jemals auf die Idee verfallen, seine exklusive Weinstube zu besuchen? Im Leben nicht! Absurd geradezu, das anzunehmen. So'n Bauer gehört an einen blankgescheuerten Holztisch, nicht an seine damastgedeckte Tafel. Und als Mahlzeit gehört ihm ein nicht zu knappes Stück Wurst mit einem Pott Senf und einem Kanten

Brot, nicht sein erlesenes Menü mit raffinierten Vorspeisen, garnierten Kalbsmedaillons und Birne Hélène.

Aber der Wein! Dieser dreimal verfluchte Moselwein! Da ließ sich der angeblich so dumme, der für sein nobles Weinlokal viel zu grobe Bauer kein X für ein U vormachen, während die feinen Stadtleute kritiklos das gepantschte Gesöff trinken. Wenn nur das Etikett viel verspricht und der Preis unverschämt hoch ist! Die Dummen werden ja nicht alle! Immer noch gibt es welche, die da glauben, was recht teuer ist, müsse auch recht gut sein, und nur dieser dämliche Bauer hatte die unbestechliche Zunge des absoluten Weinkenners ...

Himmelschockschwerenot nochmal! Das muß ausgerechnet ihm passieren, einem so gewiegten und gerissenen Geschäftsmann wie ihm! Jahrelang ist alles gut gegangen. Man hat jetzt ein Vermögen auf der Bank, man ist mehrfacher Hausbesitzer, man genießt ein gewisses Ansehen rings im Umkreis und dann ... Es ist, um aus der Haut zu fahren! Aber er fährt nicht aus seiner Haut, sondern greift sich unvermittelt an den Hemdkragen, der ihm plötzlich erstickend eng vorkommt, und er zerrt die Krawatte auseinander. Er preßt angsterfüllt eine zitternde Hand auf das rebellierende Herz, das nicht genügend Atemluft hergeben will. Und sein Kopf, sein armer Kopf ... Was ist denn nur los mit ihm? Sollte dieser ständig unkende Doktor recht gehabt haben mit seinem Mahnen zu besonderer Vorsicht? Natürlich hatte er die ärztlichen Vorschriften nicht befolgt, sie paßten ihm nicht, sie waren ihm unbequem. Er wollte tun und lassen, was ihm beliebte, nicht diesem Quacksalber.

Jetzt möchte er hinüber zu seinem behaglichen Sessel, um sich auszuruhen und sich erholen zu können, aber der Weg dorthin ist auf einmal unendlich weit und die Möbel kreisen um ihn herum. Er macht ein paar unsichere Schritte in die betreffende Richtung und sucht mit tastenden Händen einen Halt, wo es keinen gibt. Dann stürzt er mit einem qualvollen Stöhnen, das keiner im Haus hört, mit voller Wucht auf den Teppich. Als man ihn nach Stunden findet, ist er ohne Besinnung und die linke Seite gelähmt. Er kommt nicht wieder zum Bewußtsein, der Schlaganfall ist tödlich und keine ärztliche Kunst vermag mehr zu helfen.

So tritt Hermann schneller als erwartet sein Erbe an. Ein schweres Erbe! Da ist zunächst einmal das Geschäft, in welchem er wohl seit Jahren schon tüchtig mithelfen mußte, in dessen Leitung er jedoch trotz seines Alters keinen totalen Einblick hatte. Er war weit davon entfernt gewesen, der Juniorchef zu sein, kein Wunder übrigens bei den Praktiken, die sich jetzt herausstellten. Denn da ist diese unglückselige Anklage des Mannes, in dem er immer noch, ungeachtet allem in der Zwischenzeit Geschehenen, seinen zukünftigen Schwiegervater sieht. Er wird hoffentlich gerecht genug sein, den schuldlosen Sohn nicht für die gesetzwidrigen Manipulationen des Vaters verantwortlich zu machen. Hoffentlich kommt es bald zu der nötigen Aussprache und damit zur Klärung aller etwaigen Zweifelsfragen.

Voller Sehnsucht wartet Hermann auf die Beantwortung seines letzten Briefes an Lisa. Wie kann er ahnen, daß seinetwegen das geliebte Mädchen das Elternhaus verlassen mußte und darum sein ausführliches Schreiben nie erhielt. Von einem Posteingang zum anderen wartet er vergeblich auf ein paar liebe tröstende Worte; dabei ist sein Bericht längst zwischen gleichgültigen Geschäftspapieren liegend in Vergessenheit geraten.

Allmählich ist er der Verzweiflung nahe. Es vergehen Tage, es vergehen Wochen, von Lisa kommt keinerlei Nachricht. Auch das Telefon rührt sich nicht, so muß er selbstverständlich annehmen, daß sie nichts mehr von ihm wissen will. Sie hat alle Brücken zu ihm hin abgebrochen, er kann ihr hartnäckiges Schweigen nicht anders deuten. Sie hat also seine persönliche Rechtfertigung nicht anerkannt, das trifft ihn hart, aber Vertrauen läßt sich natürlich nicht erzwingen. Und darum zu betteln, verbietet ihm sein Stolz. Schwer verständlich bleibt es auf jeden Fall, denn er hätte seinerzeit geschworen, daß sie bereit sei, mit ihm durch dick und dünn zu gehen.

Hermann fühlt sich so unglücklich wie niemals zuvor in seinem nun dreißigjährigen Leben. Für ihn ist die Affäre mit Lisa nicht nur ein flüchtiges Abenteuer ohne Tiefgang gewesen, wie Fred damals vermutet hatte. Wäre er sich bisher darüber noch nicht vollends im klaren gewesen, sein nagender Schmerz über die anscheinend endgültige Trennung und seine anhaltende Sehnsucht nach der verlorenen Geliebten ließen ihn jetzt sein wahres Gefühl erkennen.

Aus dem lebensfroh lachenden, seine unbeschwerte Jugend genießenden Jüngling, ist ein in sich verschlossener Mann geworden, eigentlich zu ernst für seine Jahre.

Das Leid hat ihn gereift.

Im Hause Schweitzer ist es währenddessen nach dem dramatischen Fortgang der Tochter sehr still geworden, ihr fröhliches, sonniges Wesen fehlt überall. Stets guter Dinge, begabt mit einer optimistischen Lebensfreude, hatte sie mit munteren Worten und erheiterndem Lachen die gleichförmig rinnenden Tage belebt, im Sommer die schwere Arbeit erleichtert, im Winter die langen Abende verkürzt. Jetzt lebt man wie in einer Gruft.

Die Mutter ist immer eine ruhige und selbstlose Frau gewesen, mit unermüdlicher Hingabe um das Wohl der Familie besorgt. Von ihrem Mann wird ihr lautloser Fleiß schon seit der Eheschließung als Selbstverständlichkeit hingenommen, ohne die ihm gebührende Würdigung. Jetzt, durch den unablässig bohrenden Kummer um das einzige Kind, ist sie nur noch ein blasser schleichender Schatten. Allzu oft hat sie das Taschentuch in der Hand, um über die nassen, geröteten Augen zu wischen. Bei Tisch zerkrümelt sie appetitlos das Brot und zwingt mühsam einige Bissen hinunter. Und die von jeher spärlich fließende Unterhaltung zwischen den Ehegatten ist nun ganz zum Erliegen gekommen. Manchmal verlangt das Geschäft ein paar Worte, eine Auskunft, eine Bestellung, aber darüber hinaus herrscht Schweigen, ein trostloses Schweigen. Das Thema, das einzig und allein beiden gleich brennend am Herzen liegt, ist tabu. Jeder quält sich auf seine Weise damit ab, aber der Name der Tochter wird nicht mehr genannt. Der Tyrann wollte es so.

Es wird im Hause womöglich noch stiller, nachdem der gegen den Gastwirt Hermann Münzer angestrengte Prozeß entschieden ist. Der Sohn des Angeklagten konnte nachweisen, daß er noch nicht maßgeblich in der Leitung des Unternehmens tätig war und vollkommen unbeteiligt an den illegalen Machenschaften seines Vaters. Er ist also unschuldig und hat nach dem plötzlichen Tod des angeklagten Inhabers die Berechtigung erhalten, den seit nahezu hundert Jahren im Besitz der Familie befindlichen Betrieb weiterzuführen.

Seit dieser Entscheidung wird der alte Bauer schlimmer denn je von einer nervösen Unruhe umhergetrieben. Er kann nie lange auf einem Fleck sitzen bleiben, er kann auch nie mehr lange bei derselben Beschäftigung ausharren. Sein schlechtes Gewissen läßt ihm keine Ruhe. Einziger Trost und damit auch Halt für ihn ist der Gedanke, daß die Kinder bestimmt längst ohne seinen Segen glücklich sind. Die täglichen bitteren Tränen seiner Frau sind eine sich ständig wiederholende Anklage gegen seine väterliche Tyrannei. Er kann diese Heulerei nicht mehr mitansehen, darum verläßt er öfter als früher das Haus. Er geht in dieses und jenes Lokal und sucht Vergessen bei Kartenspiel und Politisieren, zwei Dinge, die ihm vordem nicht eben viel galten, denn beim Skat gibt es leicht Händel und bei den verschiedenen politischen Meinungen erst recht. Er sitzt auch aus lauter Verzweiflung, nur um die nagenden und rebellierenden Gedanken loszuwerden, manchmal mit jemand zusammen, dessen Gesellschaft er früher gemieden hätte. Was hat er sich schon für dummes Zeug anhören müssen von Leuten, für die er bis dato zu wortloser Begrüßung allerhöchstens an den Hutrand getippt hätte.

Beim Dämmerschoppen an einem ganz und gar trübseligen Sonntag führt ihn der Zufall mit einem lange nicht mehr gesehenen Geschäftsfreund aus Cochem zusammen, der wie er selber Weinbauer und Weinhändler ist. Endlich ein Mann, mit dem ihn gemeinsame Interessen verbinden,

denkt er ehrlich erfreut. Endlich wieder einmal eine gemütliche Sitzung mit einer Unterhaltung auf gleicher Ebene. Es
gäbe so vieles zusammen zu besprechen und zu erwägen. Aber
zu seiner grenzenlosen Enttäuschung muß er erleben, daß
Herr Heeß heute keinerlei Neigung zeigt, um zu fachsimpeln.
Alle Weine der Welt sind ihm zur Stunde völlig gleichgültig,
ihn beschäftigt einzig und allein sein gerade drei Monate
alter Enkel.

„Gottseidank, als erstes ein Stammhalter! Nichts gegen
kleine Mädchen, wir brauchen sie ja auch, aber der Bengel war
mir lieber."

Vater Schweitzer ist von diesem Thema direkt unangenehm
berührt, außerdem ist er sehr erstaunt über den Familien-
zuwachs im Hause Heeß. Er hatte davon keine Ahnung, dabei spricht sich doch sonst jede familiäre Neuigkeit im Bekanntenkreis mit kaum zu fassender Windeseile herum.

Das kann der frischgebackene Großvater in seiner stolzen
Begeisterung gar nicht begreifen.

„Wie? Du weißt noch nicht, daß ich einen Enkel habe?"

Und als sein Gegenüber ein sichtlich nachdenkliches Gesicht macht, setzt er schnell hinzu:

„Rechne nicht nach, es stimmt nicht, ich will es dir lieber
gleich selber sagen. Es ist halt ein Siebenmonatskind, die kommen bekanntlich immer zwei Monate zu früh. Sieben minus
zwei gibt nach Adam Riese fünf, folglich war er schon fünf
Monate nach der Hochzeit da. Prost!"

Er lacht schallend über seinen eigenen Witz.

„Aber deshalb ist er doch ein Prachtbengel, der bei der
Geburt gleich acht Pfund wog. Und lachen kann er schon
über das ganze Gesicht."

Es folgt eine ausführliche Schilderung aller Vorzüge des
unbedingt einmaligen Prachtbengels, über die kräftigen Lun-
gen, die prallen Schenkel, die rosigen Bäckchen, die winzigen
Fäuste bis hin zum gesegneten Appetit und zur ordnungsge-
mäßen Verdauung.

Dies alles muß Vater Schweitzer, der über eine neue Preis-
liste zu verhandeln gedachte, mit unzähligen Details über
sich ergehen lassen. Er tut es mit reichlich gemischten Ge-

fühlen, denn was interessieren ihn schon Beschaffenheit und Farbe eines Säuglingsstuhlgangs. Er findet auch nicht gleich eine passende Entgegnung auf diese Lobeshymne über einen so vollkommenen Stammhalter.

Seine außergewöhnliche Schweigsamkeit fällt schließlich dem redseligen Tischnachbarn auf, und sie macht ihn mißtrauisch.

„Du hast mir noch nicht einmal gratuliert, Schweitzer! Du wirst dich doch nicht an der Frühgeburt stoßen?"

„Aber nein, wo denkst du hin?" protestiert der also Verdächtigte ganz entschieden. Solch kleinliches Denken weist er meilenweit von sich. Rasch greift er nach seinem vollen Glas und hält es seinem Gegenüber auffordernd hin.

„Trinken wir gemeinsam auf das Wohl und auf das weitere gesunde Gedeihen des neuen Erdenbürgers!"

Der stolze Großvater leert seinen Römer bis auf den letzten Tropfen, dann klopft er seinem Spezi vertraulich auf die Schulter.

„Es wäre mir auch höchst egal gewesen, wenn du dich entsetzen würdest wie eine prüde alte Jungfer, die keinen Mann abgekriegt hat. Warst du vielleicht ein Engel? Ich nicht!"

Er lehnt sich gemütlich in seinen Stuhl zurück und grinst zufrieden vor sich hin. Seine Erinnerungen scheinen ihm heute noch Spaß zu machen, ganz offensichtlich hat er keine Unterlassungssünden zu bereuen.

„Mir ist die Hauptsache, der Bengel ist gesund und ein normales Kind. Ganz so schnell hätte er natürlich nicht zu kommen brauchen, aber Frühgeburten hat es immer gegeben und wird es immer geben. Ist doch im Grunde scheißegal! Aber die liebe Verwandtschaft hat sich entsprechend aufgeregt, wie du dir vorstellen kannst, besonders die Schwester meiner Frau mit ihrer gesamten Sippe. Was meinst du, was die scheel geguckt und das Maul aufgerissen haben! Sollen sie, bitte sehr, es ist der blanke Neid! Vier Jahre ist ihre Älteste, die Klara, schon verheiratet und immer noch kein Erfolg in Sicht. Die dreschen leeres Korn, wie man zu sagen pflegt."

Vater Schweitzer hat plötzlich genug von diesem Gespräch, übergenug sogar, sein Bedarf ist restlos gedeckt, er kann nicht mehr. Er kann einfach nicht länger zuhören, es dreht ihm sein Inneres um und um. Daß sich ein bekannter und geachteter Geschäftsmann wie er auf einen Standpunkt stellen kann, der dem seinen so völlig entgegengesetzt ist, das muß er erst einmal verdauen. Es stimmt also, wenn immer und überall behauptet wird, die Menschheit sei heutzutage viel toleranter geworden in moralischer Beziehung. Anscheinend hinkt er mit seiner altmodischen Ansicht weit hinterher, unter ferner liefen . . .

Zu allem Überfluß fragt Herr Heeß noch gemütlich, beinahe herablassend von der hohen Warte seiner großväterlichen Würde aus:

„Was macht denn deine Lisa? Die ist doch allmählich auch in dem Alter, in dem sie heiraten und dir Enkel schenken könnte."

Die indiskrete Frage hat ihm gerade noch gefehlt! Der gequälte Vater nimmt seine Zuflucht zu einer Notlüge.

„Sie ist augenblicklich zu Besuch bei ihrer Patin."

Herr Heeß ist neugierig wie eine alte Klatschbase.

„Und noch kein Freier in Aussicht?"

Gepeinigt rutscht der alte Bauer auf seinem Sitz hin und her.

„Mal sehen . . . ich weiß nicht recht, es ist noch nicht ganz spruchreif. Es hat ja auch noch Zeit."

Der erfahrene Großvater neben ihm spielt den Wissenden und Überlegenen.

„Das geht oft schneller, als du dir's träumen läßt."

Das ist zuviel, endgültig! Wenn der wüßte, wie wahr er gesprochen hat! Vater Schweitzer winkt entschlossen der Bedienung.

„Ich habe ja fast vergessen, daß ich eine dringende Besprechung mit einem Kunden habe. Ich muß schnell nach Hause."

Er gibt sein großes Ehrenwort, sich auf der nächsten Fahrt nach Cochem den einmaligen Prachtbengel anzusehen. Dann hastet er so eilig als möglich aus dem Lokal.

Draußen im Freien, außer Sichtweite des Hauses, ist seine vorgetäuschte Überstürzung im Nu verflogen. Mein Gott, was war diese Unterhaltung mit dem Heeß heute für eine grausame Tortur für ihn! Er schlägt einen einsamen Umweg ein, um zunächst einmal ungestört Ordnung in seine durcheinander geratene Gedankenwelt bringen zu können.

Also als erstes und wichtigstes: in kurzer Zeit wird er selbst ebenfalls Großvater sein, da Lisa mit solcher Entschiedenheit erklärte, Hermann Münzer heiraten zu müssen. Beschämt gesteht er sich jetzt ein, an das kommende Kind hatte er dabei noch niemals gedacht. Sein blindwütender Zorn und seine maßlose Enttäuschung hatten in der Hauptsache der geplatzten aussichtsreichen Geschäftsverbindung gegolten, sie hatten so ausschließlich sein Denken erfüllt, daß er für nichts anderes mehr Sinn hatte. Nun sieht er, angeregt durch die stolzen Schilderungen des Herrn Heeß, im Geist ein vergnügt strampelndes und krähendes Etwas vor sich liegen. Rosige Ärmchen und Beinchen recken und strecken sich, das Köpfchen fängt an sich zu heben und ein Mäulchen mit zwei winzigen Zähnchen lächelt ihn an.

Es müßte eigentlich schön sein und irgendwie Erfüllung des nahenden Lebensabends bedeuten, die übernächste Generation aus eigenem Fleisch und Blut auch noch heranwachsen zu sehen, sinniert er weiter. Man könnte sich auf seine alten Tage an seinen Enkelkindern freuen und im Herzen mit der Jugend zusammen wieder jung werden. Vielleicht bekommt auch Lisa zunächst einen Sohn, das wäre dann ein später Ersatz für den nie ganz überwundenen Verlust des eigenen Stammhalters im ersten Ehejahr.

Und dann die Frau! Er tut, was er im Verlauf seiner bald an der Silberhochzeit angelangten Ehe noch niemals tat, weil es seiner egoistischen und selbstherrlichen Natur nicht liegt: er denkt an seine Frau. Er versetzt sich in ihre Lage und fühlt sich unversehens von tiefem Mitleid mit ihr überflutet. Armes Weib! Dazu verurteilt zu sein, das ganze Leben mit einem Grobian zu verbringen, wie er einer ist! Dazu noch des einzigen Kindes und der eventuellen Enkel beraubt und damit der Freude und des Trostes ihres Alters!

Verdammt nochmal, er ist bis heute ein alter, kleinlich denkender Narr gewesen! Schließlich hat er in seiner eigenen Jugend auch nichts anbrennen lassen, und sogar noch in der Ehe... Aber Schwamm drüber! Es ist entschieden besser, man geht in seinen eigenen Erinnerungen nicht allzusehr in die Details. Trotzdem, in seinen heiklen Reflexionen an diesem Punkt angelangt, beschließt er sie mit abfälliger Selbstkritik. Altes Schwein, denkt er, moralisch von sich selbst entrüstet, was gibt dir im Grunde genommen das Recht, die Jugend von heute so hart und unnachsichtig zu verurteilen? Deine Tochter ist nun mal dein eigen Fleisch und Blut, sie ist hübsch und hat gerade Glieder, es ist überall etwas dran, wo etwas hingehört, außerdem hat sie Charme und sie hat Temperament. Ist es da nicht ganz natürlich, wenn die jungen Leute nicht widerstehen konnten?

Das heiße Temperament hat Lisa selbstverständlich von ihm. Genau wie er hat sie gesundes rotes Blut in den Adern und keine fade Wassersuppe, ganz ohne Frage. Denn seine gute Luise... ach Gott, er seufzt in der Erinnerung. So wie im täglichen Leben ist sie auch im Bett stets eine sanfte Dulderin gewesen, mehr nicht, er hat es oft bedauert. Aber alles was recht ist, sie hat ihm einige sehr beachtliche Rebstücke in bester sonnigster Lage am Hang mit in die Ehe gebracht, das soll nicht unterschätzt werden. Man darf vom Leben nicht zuviel verlangen!

Sehr nachdenklich und kleinlaut wie selten, mit sich, mit Gott und aller Welt zerfallen, stapft der alte Bauer endlich seinem Haus zu.

Dort findet er alles im Dunkeln, das passiert so gut wie nie. Nanu, was soll denn das heißen? Gleich ist seine weiche Stimmung wieder verflogen und die alte Ruppigkeit schießt erneut üppig ins Kraut. Zum Donnerwetter, wo sind denn die beiden Weiber? Ja richtig, heute ist Sonntag, da hat die Rosa Ausgang. Neuerdings hat sie sogar einen Schatz und verschwindet öfter als erlaubt. Merkwürdig, dazu ist sie nicht zu dumm. Und seine Frau hatte beim Mittagessen von einem längst fälligen Krankenbesuch in der Nachbarschaft gesprochen.

Daß doch die Weiber so oft krank werden müssen! Als

urgesunder Kraftmeier, der er ist, bringt Vater Schweitzer wenig Verständnis für die Leiden seiner Mitmenschen auf. Krankheit beruht auf mangelnder Willenskraft, das ist seine Meinung, man wird nicht krank, wenn man nicht nachgibt. Sonderbarerweise hatte es ihn doch einmal gepackt, da hatte er wohl nicht richtig aufgepaßt. Er hatte sich plötzlich am hellichten Tag freiwillig ins Bett gelegt, ein noch nie dagewesener Tatbestand, und er glühte vor Fieber.

„Hol mir einen Arzt", stöhnte er mühsam, „mir ist zum Sterben elend . . ."

Es war nur eine mäßige Influenza, und der vielbeschäftigte Doktor verschrieb eilig ein fiebersenkendes Mittel, um das die Bäuerin selber in die Apotheke rannte. Ihr Mann hätte es als eine unglaubliche Beleidigung, als eine ungenügende Einschätzung seiner Person gewertet, hätte sie nicht selbst die Arznei besorgt, die ihn vor dem sicheren Tod retten sollte. Mißtrauisch schielte er von unten herauf auf das Röhrchen, aus dem ihm Heilung kommen sollte. Nur so kleine Tabletten für eine so schwere Krankheit?

„Nur zwei Stück davon?"

Das infame Weib wollte ihn wohl ohne Gnade sterben lassen.

„Hol mir noch ein Glas Wasser, ich verdurste", verlangte er stöhnend, und die Arme rannte gehetzt hinaus, das Gewünschte zu holen. Man bedenke Wasser! Er und Wasser! Und sogar ein zweites Glas! Er mußte wirklich schwer krank sein.

Es dauerte nicht länger als einige Minuten, so sehr hatte sie sich beeilt, aber der listige Patient hatte ihre Abwesenheit auf seine Weise genutzt. Sie fand ihn mit geschlossenen Augen in die Kissen zurückgesunken. Vor dem Bett lag das Arzneiröhrchen auf dem Teppich, vollkommen geleert. Das zweite Glas Wasser war nur ein Vorwand gewesen, seine Pflegerin auf kurze Zeit loszuwerden, um ungestört und unwidersprochen das seiner Meinung nach nötige Quantum des Medikaments schlucken zu können.

Aber besser fühlte er sich davon nicht, ganz im Gegenteil, jetzt wurde ihm erst vollends übel. Er konnte nicht einmal mehr den Kopf bewegen, nicht einmal mehr die Augenlider heben, das ganze Zimmer mit allen Möbeln rotierte wild um ihn herum. Und warum schrie dieses Weib plötzlich so gellend auf, daß es ihm fürchterlich durch Mark und Bein fuhr? War er denn schon gestorben und nur seine Gedanken rasten sich noch zu Tode?

Seine robuste Natur verkraftete die eigenmächtige Dosierung des Fiebermittels, sein eisernes Herz hielt durch. Noch Wochen nach seiner Genesung war seine schwere Krankheit bei ihm Gesprächsthema Nummer eins, und geheilt hatte er sich natürlich selber. Er, ein einfacher Winzer, hatte genau gewußt, wieviele Tabletten er brauchte, um wieder auf die Beine zu kommen. Aber seit dieser furchtbaren Erfahrung paßt er gut auf, damit er nicht wieder krank wird.

Allein sein, in seinen eigenen vier Wänden allein sein, das passiert dem Hausherrn äußerst selten und er liebt es auch gar nicht, man hat dann niemand zum Nörgeln. Was denn tun? Eigentlich wäre er heute abend durchaus in der Laune gewesen, die zum Problem gewordene Angelegenheit um Lisa mit seiner Frau einmal gründlich zu erörtern. Sicherlich brennt sie doch darauf, genau wie jetzt er, aber ausgerechnet ist sie abwesend. Nicht, daß er die Absicht gehabt hätte, einfach zuzugeben, ungerecht gegen Hermann Münzer und allzu hart gegen die eigene Tochter gewesen zu sein. Weit entfernt! Er ist hier im Hause der Chef und er hat seinen Dickkopf, einen ganz respektablen Dickkopf, nach dem sich alle richten müssen. Aber es hätte bestimmt schon gutgetan, das Wort Lisa überhaupt einmal wieder auszusprechen, das er so lang nicht gehört hatte.

Ohne recht zu wissen, warum und wozu, nur aus der ungewohnten Verlassenheit des Augenblicks heraus, steigt er ächzend die Treppe hinauf in die obere Etage. Rechts die erste Tür führt in das geräumige eheliche Schlafzimmer, schräg links geht es zu Lisas lange verlassenem kleinen Reich. Zögernd steht er zunächst davor, endlich legt sich seine breite Tatze wie von selbst auf die kalte Türklinke. Behutsam horcht er noch einmal nach unten, ob sich dort auch wirklich nichts rührt, dann schleicht er leise, wie ein Dieb in der Nacht, in das Zimmer seiner Tochter.

Es wirkt unbewohnt und damit ungemütlich, trotz der darin herrschenden peinlichen Sauberkeit. Es fehlt einfach das warme pulsierende Leben darin, vielleicht ein kleiner Blumenstrauß auf der Kommode, ein offenes Buch auf dem Tisch oder ein lässig hingeworfener Pullover über dem Bett. Ein Muster an Ordnungsliebe ist Lisa ja nie gewesen.

Er setzt sich schwerfällig auf den nächsten Stuhl und sieht sich unentschlossen um. Was will er hier eigentlich? Was bezweckt er damit? Daß er hier hockt wie ein armer Sünder, ändert nichts an der von ihm heraufbeschworenen, nun unerträglich gewordenen Situation. Die heute in ihm erwachte Unzufriedenheit mit seinem verdammten Dickschädel und dem unbezähmbaren Jähzorn steigt mächtig in ihm hoch.

In seine kritteligen Gedanken versunken, ohne irgendeine besondere Absicht, zieht er an der vor ihm stehenden zierlichen Kommode seiner Tochter eine Schublade auf und erstarrt auf der Stelle. Was ist denn das? Da sind ja tatsächlich Babysachen drin. Obenauf liegen winzige Hemdchen und Jäckchen, zum Teil mit bunten Kanten verziert. Vorsichtig nimmt er die zarten Gebilde heraus und steckt seine dicken Finger in die puppipen Ärmel hinein. Er kann nur staunen. Ist denn der Mensch in seinen allerersten Anfängen so unwahrscheinlich klein, daß er da hineinpaßt? An Lisas Säuglingszeit kann er sich nicht mehr recht erinnern.

Er stöbert weiter in der Schublade und probiert ein hellblaues Wollmützchen auf der geschlossenen Faust. Ein bißchen knapp findet er das niedliche Dingelchen, aber es wird schon stimmen, die Frauen wissen da Bescheid, und er wünscht sich ja keinen Enkel mit einem Wasserkopf. Weiter entdeckt er ein molliges weißes Etwas, das sich bei näherer Betrachtung als kleiner Plüschhund entpuppt, mit steif aufgerichteten Ohren, blanken Beerenaugen und einer glänzenden schwarzen Nase. Dann sind da noch Höschen und Strümpfe, bestickte Schlabberlätzchen für den ersten Karottenbrei und lächerlich winzige Fausthandschuhe. Alles in allem ist es eine komplette Babyaussteuer mit allem Drum und Dran, bestimmt mit viel

Liebe und Sehnsucht, aber auch mit Tränen zusammen-getragen.

Immer wilder, immer aufgeregter kramt er das alles her-aus. Ganz unten auf dem Grund der Schublade liegt noch ein grüngebundenes Photoalbum, ohne Frage dazu bestimmt, demnächst die Bilder des Säuglings aufzunehmen, dem diese vielen Herrlichkeiten zugedacht sind. Er hält es an seine dicke Nase und schnuppert daran. Tatsächlich echtes Leder, aber er ist absolut damit einverstanden, für seinen Enkel ist das Beste gerade gut genug.

Der angehende Großvater hat alles sehr eingehend in Augen-schein genommen. Der überraschende Anblick der reizenden Sächelchen vollendet ungeahnt rasch den seit langem in ihm reifenden Gesinnungsumschwung. Liebkosend beinahe nimmt er noch einmal Stück für Stück der ganzen Sammlung in seine groben Hände und legt sie dann, mühsam und ungeschickt wieder zusammengefaltet, sorgfältig auf ihren Platz zurück. Er muß es ja tun, denn vorerst will er seiner Frau die Ent-deckung ihrer Heimlichkeiten verschweigen. Wie auch sollte er motivieren, in Lisas Zimmer gewesen zu sein und in ihrer Kommode gekramt zu haben? Mit diesem Geständnis würde er die eigene Schwäche und Inkonsequenz beschämend kundtun. Nein, diese Blöße will er sich denn doch nicht geben, aber er ist jetzt eisern entschlossen, nun auch seiner-seits etwas für das demnächst ankommende Enkelkind zu be-sorgen, und zwar will er Spielzeug kaufen.

„Ich fahre einen Tag nach Cochem."

Mit dieser lapidaren Ankündigung muß sich seine Frau begnügen, aber sie ist es so gewöhnt.

Er fährt also am nächsten Tag ein Stück moselabwärts, auf die Gefahr hin, in Cochem prompt Herrn Heeß in die Arme zu laufen und dann einer eingehenden Besichtigung des außerordentlichen Prachtbengels nicht mehr ausweichen zu können. Fast wäre er sogar in entgegengesetzter Richtung bis nach Trier gefahren, um nur ja die beste und größte Auswahl zu haben. Jedoch das bleibt ihm immer noch für später, wenn das Kleine erst einmal älter geworden ist. Denn jedes Kind braucht selbstverständlich genügend Spielzeug, erstens um sich zu betätigen und zweitens, um dabei in ihm steckende Anlagen zum Vorschein bringen und dann auch entwickeln zu können. Und s e i n Enkel wird fraglos förderungswürdige Anlagen mit auf die Welt bringen.

Vorläufig kann er im Heimatort nicht einmal einen Kinderball kaufen. Es würde beträchtliches Aufsehen erregen, und er hört im Geist schon die lauernden Fragen:

„Nanu, Herr Schweitzer, für wen wollen Sie denn Spielzeug kaufen?"

Die Neugier der Leute ist ja unbeschreiblich! Anstatt daß sie froh sind, etwas zu verkaufen.

Im Spielwarengeschäft in Cochem erkundigt sich eine nette junge Verkäuferin nach seinen Wünschen.

„Für Knabe oder Mädchen?" fragt sie sachlich, als er nur einfach Spielsachen verlangt.

Einen Augenblick zögert er. Es ist doch unmöglich zu gestehen, daß das betreffende Kind noch gar nicht geboren ist. Dann erklärt er fest:

„Für einen Jungen."

Ist doch sonnenklar, daß Lisa als erstes einen Stammhalter in die Welt setzt.

Zunächst einmal bietet ihm das junge Mädchen ausgerechnet ein gelbes Auto an und fast wäre er davongerannt. Ein gelbes Auto! Und das ihm! Aber nein, jetzt wird dageblieben. Er hat sich diesen Kauf vorgenommen, er will ein Geschenk für seinen Enkel, folglich wird er auch etwas erstehen, und zwar etwas, was auch ihm gefällt.

Für einen Jungen muß es natürlich am besten ein Fahrzeug sein. Vater Schweitzer bekommt etliche vorgeführt, in allen Größen, in allen Farben und zu jedem erdenklichen Zweck. Da gibt es rotgelbe Straßenbahnwagen, auf denen man richtig klingeln kann; Feuerwehrautos mit Leitern, die sich mühelos hinauf- und hinunterschrauben lassen; Lastwagen, deren Ladung nach hinten zu kippen ist; und dann selbstverständlich Rennwagen jeden Formats, quasi bereit, im nächsten Augenblick auf dem Nürburgring zu starten.

Der angehende Großvater steht ziemlich fassungslos vor dieser perfekt motorisierten Kinderwelt. Er hatte sich Jahrzehnte nicht um solche Sachen gekümmert und nun kommt er aus dem Staunen nicht heraus. Soll er oder soll er nicht? Im Grunde genommen ist das alles gar nicht nach seinem Geschmack, er kann sich nicht so schnell auf das neuzeitliche Spielzeug umstellen.

Die gewandte Verkäuferin deutet sein Zögern richtig und geht zu anderen Verkehrsmitteln über, schließlich ist genügend Auswahl in allen Bereichen da. Wenn es dem Herrn auf der Straße nicht gefällt, kann man ja heutzutage mühelos in die Luft gehen. Also bringt sie Flugboote, Hubschrauber, Düsenklipper, sogar Luftschiffe . . .

Leider ist auch das alles nicht das Richtige, dem Kunden sind all diese Sachen einfach zu neumodisch.

„Ich erinnere mich, womit ich in meiner Jugend spielte und womit ich sehr glücklich war. Ich hatte Wagen und Pferde und alle möglichen kleinen Gegenstände zum Auf- und Abladen. Damit kann sich ein Kind so gut beschäftigen, darum möchte ich es auch für meinen Enkel haben."

Die bisher so sichere Verkäuferin gerät in leichte Verlegenheit und muß den Geschäftsinhaber fragen, ob das veraltete Spielzeug noch zu haben ist. Wagen und Pferde! Längst überholt im Zeitalter der perfekten Motorisierung! Pferde gibt es doch neuerdings für die landfremde Großstadtjugend in manchen zoologischen Gärten zu sehen, so selten sind sie auf den Straßen geworden.

Immerhin, es kann sein, daß sich so etwas wie das Gewünschte noch auf Lager befindet. Ein junger Mann wird eilig in die unteren Regionen des Hauses geschickt, um nachzusehen.

Um die für das Suchen nötige Wartezeit zu überbrücken, zieht das gutgeschulte Mädchen einen hellblauen Rennwagen auf, der sofort schnurrend eine imaginäre Rennstrecke abzusausen beginnt. Der schwierige Kunde zeigt sichtlich zunehmendes Interesse, vielleicht entschließt er sich doch noch zu einem modernen Spielzeug. So ein armer kleiner Junge kann einem direkt leid tun, sich mit Sachen von anno dazumal abgeben zu müssen. Aber Vater Schweitzer wälzt ganz andere Gedanken als vermutet. Er vergleicht gerade die vielfältigen kostbaren Objekte, die heute den Spieltrieb der Kinder befriedigen sollen, mit den einfachen, primitiven Gegenständen, die in seiner Jugend die Knaben bestimmt nicht weniger beglückten: Kreisel, Murmeln, Bälle, Helme aus Papier, Schiffchen aus Rinde ... Was sind die heutigen Kinder doch verwöhnt! Kein Wunder, daß jeder rotznasige Dreikäsehoch in der motorisierten Gegenwart besser Bescheid weiß als mancher Vertreter der älteren Generation. Indessen erkennt er ungeahnte Möglichkeiten, seinen Enkeln — er denkt tatsächlich schon in der Mehrzahl — zu Weihnachten, zu Ostern und zum Geburtstag fulminante Geschenke zu machen. Für diesmal allerdings bleibt er bei seinem ursprünglichen Anliegen.

Der ausgesandte Lehrling hat tatsächlich im Lager etwas gefunden, einen verstaubten Ladenhüter, der wohl schon manches Jahr in einer dunklen Ecke vergeblich seiner Bestimmung harrte, von geschäftigen Kinderhänden in Bewegung gesetzt zu werden. Es ist ein Bierwagen, bespannt mit zwei schweren gelbbraunen Zugpferden und gelenkt von einem Kutscher mit einem verwegenen Schnurrbart. Zehn kleine braune Fässer sind auf dem Wagen aufgestapelt und können einzeln abgeladen werden.

Das alles wirkt geradezu rührend vorsintflutlich, aber es entspricht genau dem, was sich der altmodische Kunde gewünscht hat.

Die Verkäuferin bemüht sich, möglichst schnell und unauffällig die graue Staubschicht zu entfernen, sie poliert sogar die kleinen Holzfässer auf Hochglanz.

Der Bauer ist restlos begeistert und strahlt aus allen Knopflöchern. Ohne mit der Wimper zu zucken, bezahlt er den geforderten ansehnlichen Betrag, dann verläßt er hochbefriedigt das Geschäft mit einem unförmigen Riesenpaket unter dem Arm.

Der Ladeninhaber komplimentiert ihn höchstpersönlich zur Tür hinaus und reibt sich dann seinerseits zufrieden die Hände. Es ist immer erfreulich, einen längst überfälligen Ladenhüter zu einem guten Preis doch noch abstoßen zu können.

Voller Stolz fährt der künftige Großvater mit seinem heimlichen Schatz nach Hause und verstaut ihn in einer wenig begangenen Ecke des geräumigen Speichers, nachdem er glücklicherweise mit List und Tücke jeder Begegnung ausweichen konnte. So, das wäre geschafft!

Seine Genugtuung über den gelungenen Streich, denn so ähnlich wertet er seinen erfolgreichen Abstecher nach Cochem, spiegelt sich so deutlich in seinem Mienenspiel, daß der Kontrast zum finsteren Gesichtsausdruck der letzten Zeit direkt auffällt und seine Frau glücklich fragt:

„Hast du ein gutes Geschäft gemacht?"

„Das beste seit langem," lautet die sehr überzeugende Antwort.

Jetzt braucht nur noch die heißersehnte Nachricht von der Geburt des Enkelkindes kommen, die nicht mehr lange auf sich warten lassen kann.

Indessen verfliegt im Geschwindschritt die Zeit und die von der Natur vorgeschriebene Wartefrist ist verstrichen, aber es kommt nichts. Keine Geburtsanzeige! Es vergehen Tage, ja, es vergehen fast zwei Wochen, die erwartete Botschaft bleibt aus.

Der alte Bauer wird immer unruhiger und geht jeden Morgen dem Briefträger entgegen. Vergeblich! Er hütet eifersüchtig das Telefon, um gegebenenfalls als erster am Apparat zu sein. Er ist so sprungbereit wie eine Katze auf der Lauer.

Ebenso vergeblich!

Er holt einen Kalender und rechnet unter Zuhilfenahme seiner dicken roten Finger zum x-ten Male die Zeit nach. Kein Zweifel ist möglich, neun Monate sind um, da gibt es nichts daran zu tüfteln. Zum Donnerwetter, die heutige Jugend will zwar in allem gescheiter sein als die Alten, aber neun Monate werden sie auch brauchen, um ihren Nachwuchs in die Welt zu setzen. Aber vielleicht ist das Kind übertragen? Er versteht ja nicht viel von dem Geburtenkram, schließlich ist das Weibersache, aber dunkel erinnert er sich, wie es war, als Lisa zur Welt kam. Auch sie wurde zwei Wochen nach dem errechneten Termin geboren, darum war seinerzeit die Entbindung zu schwer ... Um Gotteswillen, wenn es jetzt genau so wäre?

Sein armes Kind! Seine Lisa! Er sieht sie in gräßlichen Wehen auf ihrem Schmerzenslager liegen und hört sie verzweiflungsvoll wimmern und stöhnen. Der Angstschweiß bricht ihm aus allen Poren und gleichzeitig steigt unsinnige Wut in ihm hoch. Das alles aushalten zu müssen wegen dieses Scheißkerls! Hätte er ihn hier, mit bloßen Fäusten würde er ihm den Kragen umdrehen.

Es klingelt an der Haustür. Er rennt so schnell er kann in seinen kühlen Keller hinunter, denn so verzweifelt darf ihn niemand sehen. Kein Mensch seiner Umwelt soll merken, wie tief ihm Angst und Kummer im verschwiegenen Innern sitzen.

Ach, hier unten ist es gut sein! Hier herrscht nicht nur ein wohltuendes Klima im zwielichtigen Halbdunkel, hier ist es auch immer still und ruhig. Er legt eine Hand an eines der alten Holzfässer, das tut er gern. Das dämpfte schon so manche Aufregung, so manchen Ärger, das ist auch heute lindernder Balsam für seine überreizten Nerven.

Aber was war das eben? Klang das Geräusch nicht wie das Läuten des Telefons? Wie von der Tarantel gestochen rast er die steile Treppe wieder nach oben und findet seine Frau im Wohnzimmer, verdächtig nahe am Apparat, wie er meint.

„Hat eben das Telefon geläutet?" keucht er, vollkommen außer Atem vom schnellen Treppensteigen. Ein alter Mann ist eben kein D-Zug mehr, in keiner Beziehung. Ganz im Geheimen kann man sich diese bittere Wahrheit selbst schon mal eingestehen, aber es soll sich keiner getrauen, ihm so etwas ins Gesicht zu sagen.

Die Bäuerin schaut ihn erstaunt an.

„Nein," sagt sie dann mit aufreizender Ruhe, „das Telefon hat nicht geläutet."

Er sinkt erschöpft auf den nächsten Stuhl, er ist einfach am Ende. Er wird noch verrückt von der ganzen Geschichte, richtiggehend verrückt, mit Wahnvorstellungen fängt das doch immer an. Die Stunde ist gekommen, wo er klein beigeben muß, er kann nicht mehr anders, es geht über seine Kraft. Mit leiser Stimme, demütig und kleinlaut wie nie bisher im Leben, stellt er die Frage, die ihn heimlich seit langem plagt:

„Meinst du, Lisa könnte es übers Herz bringen, uns keine Geburtsanzeige zu schicken?"

Der Kummer macht die Mutter mutig wie vorher nie in ihrer ganzen Ehe.

„Sie ist auch deine Tochter," sagt sie mit nachdrücklicher Betonung. Mag er sich seinen Vers darauf machen, er ist ja nicht schwer von Begriff.

Wohlweislich überhört der Bauer die unter andern Umständen kaum jemals gewagte Herausforderung. Erst kratzt er sich wie immer unentschlossen am Hinterkopf, es ist seine charakteristische Geste in den bei ihm seltenen Fällen von peinlicher Verlegenheit, dann berichtet er scheinbar ohne jeden Zusammenhang:

„Ich habe vor einiger Zeit im Wirtshaus den Heeß aus Cochem getroffen."

Seine Frau sieht keine Beziehung zwischen dem eigenen Kummer und diesem Treffen und fragt ziemlich unwillig:

„Ja und?"

„Der hat jetzt einen Enkel von ein paar Monaten."

Mutter Schweitzer ist höchst erstaunt.

„Ich wußte gar nicht, daß die Tochter schon so lange verheiratet ist."

Auf genau diese Reaktion hat ihr Mann gewartet. Ihre Antwort war das Stichwort, das er brauchte. Es erleichtert ihm sehr wesentlich die Einleitung seiner Beichte, er wird ganz eifrig.

„Da stimmt es auch nicht."

Seine Frau versteht natürlich immer noch nichts, wie kann sie auch.

„Was stimmt da nicht?"

„Na . . . die Rechnung."

„Welche Rechnung denn?"

Der Bauer sieht endgültig ein, daß er deutlicher werden muß.

„Der Junge war schon fünf Monate nach der Hochzeit da

und der Heeß . . ." erst muß er sich noch einmal den Schweiß abwischen, „. . . der Heeß ist sehr stolz auf das Kind und er sagt: Hauptsache, es ist gesund, wenn's auch nicht schön war, daß es zu früh kam. Und die Leute, die ihn deswegen schief ansehen, die könnten ihn mal . . ."

So, endlich, jetzt ist es heraus! Das im letzten Jahr vorzeitig gealterte und so verhärmt aussehende Gesicht seiner Frau ist plötzlich um Jahre verjüngt und überzogen von reinstem Glück. Schließlich hat sie nun begriffen, worauf ihr alter Dickkopf hinauswill, und sie atmet erleichtert auf. Der bedrückende Kummer der einsamen Monate, die hinter ihr liegen, macht einer seligen Hoffnung Platz. Vor lauter Freude findet sie vorerst keine Worte, aber im Moment braucht sie auch nichts zu sagen, ihr Mann ist jetzt gehörig im Zuge und beichtet gleich weiter.

„Ich habe deine Aussteuer für das Kleine gefunden."

Um Gotteswillen! Erschrocken schaut sie auf, aber er ist in allerbester Stimmung und spielt gerade seinen eigenen höchsten Trumpf aus.

„Ich habe auch etwas für meinen Enkel."

Hocherhobenen Hauptes stolziert er wie ein Pfau aus dem Zimmer, und sie hört ihn mit schweren Schritten die Speichertreppe hinaufstapfen. Was will er denn dort oben? Was wird er ihr bringen? Sie ist sehr neugierig, aber ihr ist etwas bange, denn niemals in seiner Ehe ist er ein Mann zweckmäßiger oder gar großzügiger Geschenke gewesen. Er kann nichts dafür, es liegt ihm nicht, das Richtige zu treffen.

Nach wenigen Minuten bringt er das unförmige Paket aus dem Spielwarengeschäft in Cochem herein. Mit liebevoller Sorgfalt packt er umständlich seine Schätze aus und baut alles möglichst wirkungsvoll vor seiner Frau auf. Er ist unendlich stolz auf seine gute Idee und erwartet selbstverständlich, entsprechend gelobt zu werden. Und sie tut ihm natürlich den Gefallen, im Grunde ist er doch bei aller äußeren Grobheit ein guter Kerl. Sie bringt nicht den Mut auf, seine Riesenfreude durch die Mitteilung zu beeinträchtigen, daß das Enkelkind frühestens in zwei bis drei Jahren mit den schönen Sachen wird spielen können. Vorläufig lädt der begeisterte

Großvater in höchsteigener Person die kleinen Holzfässer auf und läßt dann die Gäule laufen.

„Und wenn es nun kein Junge ist?"

Auch diese Möglichkeit vermag den erwartungsfrohen Bauern nicht mehr aus seiner glücklichen Stimmung herauszureißen, er findet sofort einen diplomatischen Ausweg.

„Höchst einfach! Dann kaufen wir etwas für ein Mädchen und heben dies hier auf, bis der Stammhalter kommt."

Daß einmal einer kommen muß, das ist in diesem Augenblick für ihn so sicher wie das Amen in der Kirche.

Nachdem auch seine Frau die Babyausstattung aus der Kommode von oben herbeigeholt hat und sie lange genug ihre beiderseitigen Schätze gelobt und bewundert haben, kommt Vater Schweitzer ein überwältigender Gedanke.

„Wie wär's, wenn wir den Kindern das alles hinschicken würden?"

„Meinst du wirklich? Ich weiß nicht recht . . ."

Während seine Frau noch unentschlossen überlegt, ob man nicht besser zuerst schreiben soll, ist er bereits Feuer und Flamme. Wozu denn Bedenken? Die sind bestimmt überflüssig. Es ist absolut keine Frage, daß diese Sendung nur reinste Freude auslösen kann, ist sie doch ein sicheres Zeichen der Versöhnungsbereitschaft, und materiellen Wert hat sie schließlich auch. Jeder Geschäftsmann denkt immer und bei allem obendrein ans Geld.

„Natürlich schicken wir alles gleich hin, und zwar sofort. Ich möchte bald meinen Enkel sehen."

Zum zweiten Mal rennt er geschäftig hinaus und erscheint bald wieder mit einem unförmigen Reisekorb von mächtigem Umfang. Die weiteren schwachen Einwände seiner Frau, nichts zu überstürzen, läßt er nicht gelten, er fegt ihr Zaudern weg mit grimmigem Gesicht. Seine weiche Regung ihr gegenüber ist verflogen, jede Nachgiebigkeit spurlos verschwunden. Jetzt ist er wieder er selbst, der Herr im Haus, der unerbittliche Tyrann, der keinen andern Willen als den seinen und keine andere Meinung neben sich duldet.

Er holt einen Arm voll Holzwolle aus dem Keller, reichliche Spuren davon auf allen Böden verstreut hinter sich zurücklassend, doch was kümmert ihn das bei seiner wichtigen Tätigkeit. Unordnung, die von ihm selbst herrührt, hat er von jeher großzügig ignoriert. Wehe, wenn sich ein anderer Hausbewohner so etwas erlauben würde!

Eifrig beginnt er, den Bierwagen samt Kutscher, Pferden und Fässern auf dem Grund des Korbes zu verstauen. Er ist sehr gründlich bei seiner Arbeit. Jedes Stück wird einzeln in viel Papier eingeschlagen und dann fürsorglich in die Holzwolle gebettet. Dann folgen schön verpackt in Seidenpapier, von seiner Frau mit bunten Bändchen zugebunden, all' die anderen zierlichen Geschenke. Zum guten Schluß wird der Korb umständlich verschlossen, um gleich am nächsten Morgen früh auf den Wege gebracht werden zu können, begleitet von unzähligen unausgesprochenen Segenswünschen.

Nach dieser stundenlangen, ihre Gemüter gleichermaßen erschütternden wie beglückenden gemeinsamen Arbeit, sitzen die alten Eheleute in selten gewordener Einmütigkeit nebeneinander, im Herzen die erwartungsvolle Vorfreude auf die bevorstehende Versöhnung. Sie erst wird das junge Glück ihrer Kinder vollkommen machen und ihnen selbst einen erfüllten Lebensabend bescheren.

Jeder geschäftstüchtige Gastwirt, der seinen Beruf ernst nimmt, betrachtet es als selbstverständliche Pflicht, sich abends den Besuchern seines Lokals zu zeigen. Er geht dann höflich von Tisch zu Tisch und begrüßt liebenswürdig seine Gäste. Er plaudert verbindlich mit ihnen, er fragt nach etwaigen Wünschen und gratuliert gelegentlich zu einer Beförderung. Manchmal auch riskiert er es, den Wetterpropheten für den nächsten Tag zu spielen. Hauptsache aber, er weiß Konversation zu machen, er kann auf Scherze eingehen und er ist nie um eine passende Entgegnung verlegen. Und das alles bis weit nach Mitternacht hinaus, so gehört es eben zu seinem Beruf. Kein Wunder also, daß er immer erst spät in der Nacht in sein Bett sinken kann und morgens gern lange schläft.

Hermann hat nach dem Aufwachen noch ein Viertelstündchen gähnend und sich streckend die mollige Bettwärme ausgekostet, dann hat er wie üblich beim genußvollen Duschen seine kleine Überschwemmung produziert. Nun freut er sich mit dem gesunden Appetit der Jugend auf das ausgiebige gemütliche Frühstück. Anschließend wird mit Behagen die bereitliegende Tageszeitung gelesen, denn auch das gehört zu den Pflichten eines guten Gastwirts, im Bilde zu sein über das, was alles in der Welt geschieht, um mitreden zu können.

Diese ruhige Morgenstunde ist für ihn die schönste des ganzen Tages, sein gesamtes Personal weiß genau, daß er sich seinen Morgenfrieden nur höchst ungern stören läßt. Natürlich wird sein Wunsch allgemein respektiert, denn der junge Chef kann sehr ungnädig werden, wenn man ihn am Frühstückstisch mit unwichtigen Angelegenheiten behelligt.

Heute hat er sich gerade den einladend duftenden Kaffee eingeschenkt und ist beschäftigt, sein erstes Brötchen liebevoll und sorgfältig mit frischer Butter und goldgelbem Honig zu bestreichen, da bringt ihm der junge Hausdiener nach kurzem Klopfen einen unförmigen Reisekorb ins Zimmer geschleppt.

Unwillig schaut Hermann von seinem leckeren Frühstück hoch und betrachtet befremdet das altmodische Ungetüm aus krachendem Korbgeflecht.

„Was ist das für ein Ungetüm? Was soll ich hier im Zimmer damit? Packen Sie das draußen aus."

Unschlüssig blickt der junge Mann auf den merkwürdigen Transportbehälter zu seinen Füßen nieder.

„Ich dachte, es wäre privat," entschuldigt er dann sein unerwünschtes Eintreten.

„Ach was," sagt der in seiner erhofften Behaglichkeit gestörte Chef ungnädig und leckt den heruntergetropften Honig von seinen Fingern. „Ich erwarte keine private Sendung."

Damit ist für ihn die Sache erledigt.

Gerade will er heißhungrig in das knusprige Brötchen hineinbeißen, da bleibt zufällig ein letzter geringschätziger Seitenblick auf das Requisit aus dem vorigen Jahrhundert an ein paar Buchstaben hängen. Was steht da auf der angeklebten Adresse? Er schaut genauer hin und ihm bleibt fast das Herz in der Brust stehen vor Schreck, denn wirklich und wahrhaftig steht da als Absender der Name Nikolaus Schweitzer.

Hermann ist wie vor den Kopf geschlagen. Das ist doch wohl nicht möglich! Das kann einfach nicht wahr sein! Ungegessen fliegt das Brötchen mit Schwung auf den Teller zurück, der Appetit ist ihm gründlich vergangen.

„Lassen Sie das Ding hier und gehen Sie wieder an Ihre Arbeit," winkt er unerwartet dem verdutzten Burschen ab, dann umkreist er zunächst den mysteriösen Korb einige Male und fixiert ihn eingehend von allen Seiten, als vermute er darin eine Höllenmaschine. Was um aller Heiligen willen kann dieses vorsintflutliche Monstrum enthalten? Was können ihm die Leute von der Mosel plötzlich schicken, nachdem seit Monaten jeder Verkehr mit ihnen abgebrochen ist? Etwa eine Kostprobe des Weins von dem Jahrgang, bei dessen Lese er seinerzeit mithalf? Das wäre ja ein kurioser Brauch, nie davon gehört! Abgesehen davon, daß man in einem solchen Korb heutzutage wirklich keinen Flaschenwein mehr verschickt. Der alte Schweitzer ist zwar in vielen Dingen konservativ bis in die Knochen, vom vorigen Jahrhundert übriggeblieben, wie seine kesse Tochter einmal respektlos sagte, aber in allem, was seine Branche angeht, machte er ihm entschieden den Eindruck, völlig up to date zu sein. Alles in allem eine rätselhafte Sendung, doppelt grotesk nach den Vorfällen des letzten Jahres. Er muß der Sache auf den Grund gehen.

Das ist leichter gesagt als getan, der Korb ist verschnürt wie für die Ewigkeit. Es kostet reichlich Mühe, ihn zu öffnen, demnach scheint der Inhalt kostbar zu sein. Als endlich der Deckel ächzend in die Höhe geht, präsentiert sich den erstaunten Augen des Empfängers zunächst einmal eine Schicht weißen Seidenpapiers. Als Hermann mit äußerster Vorsicht diese schützende Lage abgehoben hat, findet er darunter mehrere Päckchen in verschiedenen Formen. Eines haben alle gemeinsam, sie sind in dasselbe weiße Seidenpapier eingehüllt und mit schmalen bunten Bändern zugebunden. Eine merkwürdige Angelegenheit ist das Ganze.

Zunächst einmal greift Hermann sich ein rundes Bündelchen heraus, welches der Form wegen seine begreifliche Neugier am meisten reizt. Er macht es sehr behutsam auf, ihm ist nicht ganz geheuer, dennoch war er nicht vorsichtig genug. Als sich die zarte Umhüllung öffnet, zerfällt es in viele Einzelteile, kleine Rollen, die ihm stracks allesamt auf den Fußboden rutschen, obwohl er sie erschrocken aufzufangen sucht. Aber es hat nichts geklirrt, folglich ist nichts zerbrochen.

„Verdammt nochmal!"

Er bückt sich hastig und sammelt die seltsamen Dinger schleunigst wieder ein. Sie fühlen sich angenehm weich an, und jedes einzelne ist äußerst hygienisch extra in Papier eingeschlagen. Er setzt sich auf seinen Stuhl zurück, um sie näher in Augenschein nehmen zu können, und seine bisherige Verwirrung wächst sich zu blankem Grausen aus: in seiner Hand hält er sechs Nabelbinden!

Wirklich und wahrhaftig Nabelbinden! Was soll er denn damit? Natürlich hat jeder Mensch am Bauch einen Nabel und braucht einmal im Leben solche Nabelbinden, aber zum Donnerwetter doch nur gleich nach seiner Geburt und nicht mit dreißig Jahren! Langsam wird der so Beschenkte fuchtig. Wenn das ein Scherz sein soll, dann ist es ein übler und reichlich geschmackloser Scherz. Mal sehen, wie die Sache weitergeht!

Mit behutsamen Händen, seine Gereiztheit bezähmend und allmählich auch auf das Unmöglichste gefaßt, packt er nach und nach die vielen Päckchen aus, die er im Korb findet. Mit jedem Bändchen, das er aufknüpft, mit jeder Umhüllung, die er auseinander zerrt, wächst seine Ratlosigkeit. Er muß sich zwischendurch hinsetzen und an seinen verstörten Kopf fassen, für ihn ist der Inhalt des Behälters absolut rätselhaft. Was soll er mit Säuglingswäsche und Kinderspielsachen? Es ist doch vollkommen widersinnig, ihm das zu schicken, dazu mit der blödsinnigen Anschrift: Familie Hermann Münzer! Es gibt keine Familie Münzer, er ist weder verheiratet noch hat er Kinder.

Am schockierendsten an der mysteriösen Sendung ist freilich die seltsame Tatsache, daß sie von Lisas Eltern kommt. Es kann sich also niemals um einen beabsichtigten Ulk handeln, wie ihn junges Volk eventuell nach einer feuchtfröhlichen Feier inszenieren würde, soviel ist sicher. Denn wie kämen diese grundbiederen Leute auf solch ausgefallenen Gedanken, noch dazu nach allem, was seit seiner Abreise von der Mosel geschehen ist. Er versteht die Welt nicht mehr.

Indessen müßte doch irgendwo zwischen dem ganzen Kram ein Begleitschreiben stecken mit ein paar erklärenden Worten, warum und wieso und vor allem für wen man ausgerechnet ihm das Babyzeug schickt. Bestimmt ist ein Brief dabei, er muß ihn suchen. Voll rasender Ungeduld durchwühlt er nun gründlicher als vorhin den restlichen Inhalt des Korbes. Da ist noch ein flaches, rechteckiges Päckchen, da könnte gut ein Schreiben beigelegt sein, aber es enthält nur ein Photoalbum aus grünem Leder und das ist alles. Es ist einfach nicht zu begreifen.

In äußerster Nervosität wirft Hermann alle Sachen und Sächelchen übereinander und durcheinander, die er zunächst sorgsam auf Tisch und Stühlen gestapelt hatte. Auf dem Grund des Behälters ist jetzt nur noch eine dicke Schicht Holzwolle, in welcher Wagen und Pferde und Fässer und Bierkutscher liegen. Er zerrt alles ans Tageslicht, daß die Fetzen fliegen, und zum Schluß stellt er den ganzen Korb auf den Kopf, damit ja nichts mehr drinbleibt und auch der Teppich noch seinen gebührenden Teil abbekommt. Das Resultat bleibt negativ, es findet sich nichts, rein gar nichts! Keine aufklärende Zeile liegt dieser seltsamen Ladung bei.

Hermann setzt sich an seinen verlassenen Kaffeetisch zurück, aber Tasse und Teller schiebt er weit von sich, er spürt keinen Hunger, der Appetit ist ihm gründlich vergangen. Er hat überhaupt keine Zeit mehr, den leisesten Gedanken an sein Frühstück zu verschwenden. Nur ruhig bleiben, ganz ruhig, mahnt er sich selbst, nur die Nerven behalten und erst einmal überlegen, bis ins kleinste und anscheinend unwichtigste Detail hinein alles überdenken. Irgendetwas stimmt da nicht, soviel ist bombensicher, das ist jedoch leider im Augenblick seine ganze Weisheit. Er kann der Veranlassung dieser Lieferung nicht auf die Spur kommen, aber eine triftige Ursache muß mit im Spiel gewesen sein. Er müßte gewissermaßen zuerst das Ende des Fadens zu fassen kriegen, an dem sich die Ereignisse rückwärts abspulen ließen. Dunkel ahnte er verwirrende Konflikte, die irgendwie mit Lisa in Zusammenhang stehen müssen. Ihr Schicksal liegt ihm immer noch heiß am Herzen, trotzdem er annehmen muß, daß sie nichts mehr von ihm wissen will. Warum sonst ihr hartnäckiges Schweigen?

Er ärgert sich über sich selbst. Am liebsten möchte er sich manchmal ohrfeigen, weil es ihm nicht gelingt, das Mädchen zu vergessen, allem guten Willen, allen felsenfesten Vorsätzen zum Trotz. Aber er kann es einfach nicht, sein heißes Herz läßt sich nicht vom kühlen Verstand regieren. Wie oft sieht er sie in Gedanken sich am Tisch gegenübersitzen, lächelnd, plaudernd, ihn liebevoll versorgend, ach, es wäre ideal gewesen in jeder Beziehung. Und als Hausfrau hätte sie sich um all' den Krimskrams gekümmert, die vielfältigen Kleinigkeiten, die einem Mann so gar nicht liegen, weil sie eben im Prinzip nicht Männersache sind, und die doch jeden Tag neu getan werden müssen, wenn der ganze Laden klappen soll!

Niemals hätte er früher für möglich gehalten, daß diese grausamsüße Anziehungskraft zweier Körper so stark und unwiderruflich alle Vernunft überrennen könnte. Wie ein mit Widerhaken bewehrter Stachel sitzt ihm das sehnsüchtige Begehren erbarmungslos im Fleisch. Aber ihr nachzulaufen, auf die Gefahr einer demütigenden Abfuhr hin, das läßt sein Mannesstolz nicht zu. Er will ein cleverer moderner Geschäftsmann von heute sein? Ein Narr ist er, ein ausgewachsener sentimentaler Narr, wie er hier trübsinnig auf seinem Stuhl hockt und an Unentwirrbarem herumrätselt, während ihm das Herz wehtut vor unerfüllter Liebe. Er denkt an die sonnenseligen Herbsttage im vorigen Jahr mit ihren heimlichen Spaziergängen auf den schmalen Rebwegen, er sieht das strahlende Glück in zwei lachenden braunen Mädchenaugen bei den ersten heißen Küssen ... er kann das nicht alles einfach beiseite schieben und auf Befehl seines gesunden Menschenverstandes vergessen. Zu große Hoffnungen, durchaus berechtigte Hoffnungen hat er damals beim Abschied mit sich nach Hause genommen.

Wieder wie schon so oft überwältigen ihn die süßen Erinnerungen. Er gerät langsam ins Träumen und durchlebt von neuem alle Phasen der glücklichsten Tage seines Lebens, bis er sich erwachend dabei ertappt, wie er liebevoll, als sei er drei anstatt dreißig Jahre alt, die kleinen hölzernen Bierfässer auf den Kutschwagen lädt.

Das fehlt ihm ja gerade noch, daß er anfängt kindisch zu werden. Mit einem derben Fluch erhält der ausgeräumte Korb einen kräftigen Fußtritt und fällt ächzend um. Gleichzeitig wird der unwiderrufliche Entschluß geboren, dieser geheimnisvollen Wirrnis von Nabelbinden, Schlabberlätzchen und Miniaturfässern auf den Grund zu gehen.

In der richtigen Erkenntnis, daß hier nur ein durchaus objektiver Beobachter, ein Mann mit klaren Augen und nüchternen Sinnen zu helfen imstande sein wird, ruft Hermann den Freund an, der im vergangenen Herbst auf der ebenso schönen wie verhängnisvollen Moselfahrt sein Begleiter war.

„Hallo, Fred, sei doch so gut und komm sofort hierher."

„Was denn, jetzt um neun Uhr früh?"

Auch der lange Maler ist aufgebracht über die ausgefallene Störung seines geliebten Morgenfriedens. Wochenlang hat Hermann nichts von sich hören lassen, er war so gut wie gestorben für ihn, und plötzlich scheint es lichterloh zu brennen.

„So eilig wird es doch nicht sein."

Freds modulationsfähiges Organ klingt ausgesprochen sauer.

„Noch viel eiliger! Ich bitte dich, komm gleich! Ich beginne allmählich an meinem Verstand zu zweifeln. Stell dir vor, von der Mosel, von Lisas Eltern, den alten Schweitzers, ist mir ein Korb geschickt worden mit Kinderwäsche ..."

Der gähnende Maler, uninteressiert am anderen Ende der Leitung hängend, glaubt nicht richtig gehört zu haben.

„Ein Korb mit was???"

Verzweifelt fängt Hermann an zu erklären.

„Mit Kinderwäsche. Babysachen, kleine Hemden . . . Nabelbinden . . . ein Plüschhund . . ."

Fred hält den Hörer vom Ohr weg und betrachtet ihn mißtrauisch. Stimmt das alles oder ist er versehentlich in eine andere Leitung hineingeraten? Aber es ist tatsächlich Hermanns
bekannte Stimme, die da so merkwürdige Dinge aufzählt.

„Sag mal, du kannst doch nicht morgens um neun Uhr
schon blau sein?"

„Unsinn! Ich sag dir die reine Wahrheit."

Des Malers von Natur aus langgestrecktes Gesicht wird
vor lauter Staunen um noch einige Zentimeter länger. Jetzt ist
er erst vollends munter geworden und gleich fällt ihm das
Naheliegendste ein.

„Liegt denn kein Brief dabei?"

„Ich habe nichts gefunden. Sei so gut und laß alles stehen
und liegen . . ."

Die dringende Aufforderung kommt Fred äußerst ungele-
gen, ehrlich gesagt, sie paßt ihm absolut nicht. Er befindet
sich gerade in einer guten Schaffensperiode und möchte die
letzten Pinselstriche an seiner herbstlichen Mosellandschaft
tun. Außerdem erwartet er heute am Vormittag ein neues
und in jeder Hinsicht vielversprechendes Modell, Typ Zigeu-
nerin, glutvoll und schwarz wie die Nacht.

„Was soll denn ich dabei?" fragt er ohne jede Begeisterung.

Die Stimme des ratlosen Freundes dringt geradezu flehend
durch den Draht.

„Die Sache irgendwie aufklären helfen, ich weiß mir keinen
Rat mehr. Ich bitte dich, du bist doch der einzige, der vollkommen im Bilde ist und auch Lisa gut kennt . . ."

Im Grunde seines Herzens ist der lange Maler ein guter
Kerl, mitfühlend und hilfsbereit.

„Also meinetwegen, ich komme, aber nur auf ein paar Minuten, bis du wieder bei klarem Verstand bist. Und such inzwischen noch einmal in Ruhe und systematisch nach einem
Brief, es wird sicher einer dabei sein."

Letzteres findet Hermann absolut überflüssig, er hat schon eingehend genug alles durchwühlt. Darum beschränkt er sich darauf, beide Hände tief in den Hosentaschen vergraben, abwartend im Zimmer auf und ab zu wandern, rastlos wie ein der Freiheit beraubtes Zootier in seinem Käfig. Hin und wieder fegt er mit der Fußspitze schwungvoll ein Häufchen Holzwolle in die Gegend, um irgendwie seiner nervösen Ungeduld Luft zu verschaffen. Endlich, wie ihm scheint nach einer kleinen Ewigkeit, hört er schnelle Schritte auf der Diele und reißt wagenweit die Tür auf, um den Freund einzulassen.

Obgleich nach dem dringenden SOS-Ruf am Telefon auf allerhand gefaßt, bleibt Fred fürs erste beim Anblick des verwüsteten Zimmers erstarrt im Türrahmen stehen. Seine normalerweise von einer gewissen Intelligenz geprägten Züge zeigen nun im Zustand maßloser Verblüffung einen ausgesprochen törichten Ausdruck. Wäre Hermann nicht auf dem absoluten Tiefstand seiner Gemütsverfassung angelangt, diese verstörte Miene des Freundes müßte unwiderstehlich seine Lachmuskeln reizen.

Es ist schon ein einmaliges und außergewöhnliches Bild, was sich dem Künstler da bietet, erst recht natürlich in einer einschichtigen Junggesellenbehausung. Langsam wandern seine rekognoszierenden Augen über den Tisch und die Stühle auf den Teppich hinunter. Überall reichlich Papier in Fetzen und Knäueln, dazwischen jede Menge Holzwolle, zartfarbene Jäckchen und neckische Spielhöschen, weiße Windeln und bunte Bänder, ein Photoalbum und ein Wagen mit Pferden, alles zusammen bewacht von einem steifen Hündchen. Und vor der modernen Vitrine mit dem edlen Porzellan und dem geschliffenen Kristall liegt der altmodische Reisekorb, unzweifelhaft ein Erbstück aus dem vorigen Jahrhundert.

Freds Gesicht wird langsam von einem verständnisinnigen Grinsen erhellt.

„Schau mal einer an! Hat es beim Abschied von der Mosel so um Lisa gestanden? Das hast du mir nie gebeichtet."

Hermann ist empört bis zur Weißglut. Was für ein hundsgemeiner Verdacht!

„Nein, natürlich nicht . . ."

„Ist das so natürlich? Behaupte das nicht so bestimmt, mein Freund, vielleicht warst du nur noch nicht richtig im Bild. So etwas soll schon einmal vorgekommen sein, die Zeit war ja auch zu kurz . . .“

„Red keinen Blödsinn!“

„Du mußt doch selbst am besten wissen, hast du oder hast du nicht? Gefällig wie ich bin, habe ich schließlich oft genug am anderen Ende der Landschaft Motive gesucht.“

„Eben nicht!“ brüllt Hermann wutentbrannt und erntet eine zynische Grimasse.

„Du enttäuschst mich maßlos. Seit wann bist du unter die kleinkarierten Spießbürger gegangen?“

„Ach, was verstehst denn du . . .“

„Von der Liebe allerhand“, feixt Fred mokant, und Hermann möchte ihn in diesem Augenblick am liebsten totschlagen.

„Und hat die eingehende Inspektion dieser reichhaltigen Bescherung keinerlei Erklärung gebracht?“

Hilflos zuckt der Gefragte die Achseln.

„Keine Zeile,“ bekennt er dann kopfschüttelnd.

Der amüsierte Freund kann ein herzhaftes Lachen beim besten Willen nicht länger unterdrücken.

„Menschenskind, wo ist denn dein Humor geblieben? Nimm doch die ganze Sache von der komischen Seite, sei doch nicht so tierisch ernst! Da ist irgendwo ein kleines Mißverständnis, das sich aufklären wird. Überhaupt, . . . wenn du ganz bestimmt ein reines Gewissen hast . . .“

Hermann kann nicht mitlachen, tief in seinem Innern wogt und schmerzt ein Vielerlei gemischter Gefühle.

„Ein kleines Mißverständnis, sagst du. Natürlich ist es eines, das ist mir klar, aber irgendwie muß es mit Lisa zusammenhängen und du weißt, alles was sie betrifft, ist mir immer noch bitterernst.“

Langsam verliert Fred die Geduld.

„Ja! Ja! Ich weiß Bescheid! Das alte Lied kenne ich zur Genüge, jeden einzelnen Vers auswendig, und ich muß dir gestehen, soviel Beständigkeit in deinen Gefühlen hätte ich dir unter den gegebenen Umständen niemals zugetraut. Was gedenkst du jetzt zu tun?"

Mit beiden Händen durchwühlt Hermann seinen blonden Schopf, er ist noch unentschlossen.

„Was rätst du?"

Lakonisch sagt der Freund:

„Anrufen! Geht am schnellsten und ist am einfachsten. In fünf Minuten bist du genau im Bilde, was los ist."

Natürlich wäre es das Allereinfachste, und die marternde Qual der Ungewißheit hätte schnell ein Ende, Hermann hatte den Gedanken längst selbst erwogen. Aber da ist eine nur zu wahrscheinliche Möglichkeit, die ihm mehr als unsympathisch wäre.

„Und wenn der Alte selbst ans Telefon kommt? Du kennst ihn ja auch, er ist nicht gerade zartbesaitet . . ."

„Na und? Was würde das ausmachen? Kann er dir die Frage übelnehmen, was seine ulkige Sendung bezweckt, wenn deine Weste wirklich blütenweiß ist? Außerdem, wenn er tatsächlich aus unerfindlichen Gründen massiv werden sollte, wirst du es auch oder du hängst eben ein, ganz wie du willst. Schluß und aus! Die Strippe ist schon eine gute Sache. Man kann per Draht manche Wahrheit aussprechen, die en face bestimmt ungesagt bliebe, aber man muß sie sich nicht unbedingt anhören. Dafür gibt es an jedem Apparat die schöne Einrichtung einer Gabel, auf die man den Hörer knallen kann."

Trotzdem lehnt Hermann den Vorschlag ab. Da ist ein vager Hoffnungsschimmer in ihm aufgetaucht, zu zart noch, zu leicht verletzlich, um auch nur mit einem Hauch angedeutet werden zu können.

„Ich werde hinfahren."

Fred ist ein heller Kopf, und er kennt seinen Pappenheimer genau. Er erfaßt im Nu sogar, was noch gar nicht ausgesprochen wurde, und wird jetzt energisch. Das fehlte gerade noch, die Wiederholung einer Romanze wie gehabt im letzten Herbst, Händchen halten, Küßchen geben, zum Schluß kommt dann das Auseinandergehen!

„Das ist ganz ausgeschlossen! Es wäre so ungefähr das

Dümmste, was du tun könntest. Wenn du nicht anrufen willst, dann wirf den ganzen lächerlichen Kram wieder in das Ungetüm von einem Korb hinein und schick ihn an den Absender zurück, ebenfalls ohne jeden Kommentar. Dann können die dort fragen warum."

Hermann sieht mit seinen traurigen Augen aus wie ein müder alter Mann. Wehmütig schaut und spricht er ins Leere.

„Ich kann Lisa einfach nicht vergessen . . ."

Wohlwollend tröstend legt ihm der gute Kamerad beide Hände auf die gebeugten Schultern.

„Sei ein Mann, ein energischer Mann! Du bist doch noch jung! Denk an dein schönes Geschäft und an die vielen netten Mädchen, die es außer Lisa auf dieser Welt noch gibt."

Aber jede Mühe ist vergeblich, es hilft kein Zureden, kein Drängen, kein Beschwören, Hermann verzieht nur den Mund zu einem melancholischen Lächeln.

„Ich weiß, du meinst es gut mit mir, und ich bin dir auch wirklich herzlich dankbar dafür, aber . . ."

Impulsiv läßt er plötzlich mit einem kräftigen Fußtritt einen Haufen Holzwolle durch die Luft wirbeln.

„. . . ich fahre doch hin. Jetzt erst recht!"

Von einer Sekunde zur andern hat er einen endgültigen Entschluß gefaßt. Er ist im Nu wieder ein Jüngling voller Lebensmut und Tatendrang, eisern entschlossen, eine eventuelle neue Chance ohne viel Federlesen beim Schopf zu pakken und diesesmal strikt festzuhalten.

Aus langjähriger Erfahrung heraus erkennt Fred augenblicklich, daß hier jeder Widerspruch zwecklos ist. Er ärgert sich maßlos. Da läßt er zuerst seine Arbeit im Stich, wo er heute morgen einen schöpferischen Moment hatte wie selten, und die schwarze Hexe könnte auch schon gekommen sein und nun fauchend vor verschlossener Tür stehen. Und wozu das alles? Seine gutgemeinten Direktiven werden glattweg in den Wind geschlagen, das könnte auch einen viel weniger explosiven Menschen, als er einer ist, verbittern und auf die Palme bringen.

„Wozu bestellst du mich eigentlich dringendst hierher, als wenn dir das Wasser am Hals stehen würde, wenn du doch nicht auf mich hören willst? Wenn du meine objektiven Rat-schläge nicht befolgst? Ich sollte direkt eine Entschädigung von dir verlangen für die ungerechtfertigte Unterbrechung meiner künstlerischen Impulse."

Belustigt und halb und halb ironisch, freilich mit einem Quentchen Bedauern und Reue dabei, lacht Hermann ihm in das empörte Gesicht.

„Vielleicht regt dich dieses Tohuwabohu von immerhin sel-tener Komposition zu einem Stilleben an, wie es noch in keiner Galerie der ganzen Welt hängt. Es hätte zumindest den Reiz der Originalität! Aber komm mit hinunter, ich fahre sofort."

Gänzlich unbekümmert um das neugierige Wispern seines Personals, das er damit heraufbeschwört, läßt der junge Haus-herr das unbeschreibliche Durcheinander im Zimmer liegen, wie und wo es liegt. Er rast in langen Sätzen die Treppe hinunter in sein Büro und verkündet dort mit der befehls-gewohnten Stimme des Chefs:

„Ich muß dringend wegfahren, jetzt sofort! Höchstwahr-scheinlich bin ich heute abend wieder zurück, spätestens aber morgen früh."

Er tauscht einen festen Händedruck mit dem kopfschüt-telnden Freund, der nicht ohne Sorge ist.

„Fahr wenigstens vernünftig! In allem übrigen ... Hals- und Beinbruch!"

Der Maler enthält sich weise jeder weiteren nutzlosen Kri-tik und sieht resigniert zu, wie Hermann in die Garage stürmt, und wenige Minuten später startet, so wie er da ist, ohne Mantel, ohne Hut, ohne irgendwelches Gepäck. An so etwas zu denken, hat er schon keine Zeit mehr.

Kurz danach will das nette Hausmädchen Elli mit dem großen Servierbrett in der Hand in das Wohnzimmer des jungen Chefs gehen, um wie jeden Morgen um diese Zeit den Frühstückstisch abzuräumen. Es erstarrt geradezu im Rah-men der Tür, als es die überraschende Bescherung auf Tisch und Stühlen und Fußboden sieht. Das fassungslose Staunen weicht jedoch schnell einem äußerst verschmitzten Gesichtsausdruck, als es die vielen Babysachen betrachtet. Obwohl die Versuchung einer eingehenden, völlig ungestörten Begutachtung riesengroß ist, läßt Elli alles unangetastet liegen. Sie ist eine gute Kollegin, sie will auch den anderen Hausangestellten diesen einmaligen und aufregenden Anblick gönnen. Alle sollen teilhaben an diesem wunderbaren Jux, der interessanten Gesprächsstoff voller Vermutungen und Kombinationen für lange Zeit liefern wird.

Elli tritt also an das Treppengeländer zurück, formt beide Hände zu einer Muschel vor ihren dezentroten Lippen und ruft laut ins Parterre hinunter:

„Anita! Henny! Irene! Kommt schnell mal rauf."

Sie strömen neugierig aus allen Türen. Was soll das ungewohnte Rufen? Ist etwas passiert? Dann rasen sie die Stufen hinauf, und Elli zeigt mit großartiger Geste auf die offene Zimmertür.

„Bitte! Es ist sehenswert!"

Das kann man wohl sagen! Nach diversen Ahs und Ohs, nach viel Gekicher und Gelächter kommen die ersten naheliegendsten Fragen.

„Wer kriegt wohl das Kind?"

„Ob der Chef jetzt gleich heiraten muß?"

Bestimmt ist er der angehende Vater, und zum Heiraten ist es höchste Zeit mit dreißig Jahren, sonst wird er totsicher ein verschrobener Junggeselle. Aber wer wird die junge Chefin sein? Und, was noch wichtiger ist, wie wird die junge Chefin sein? Neue Besen kehren gut, heißt es im Volksmund. Es tut hier im Haus zwar jeder seine Pflicht, das muß ja sein, aber mit dem mehr oder weniger gemütlichen Schlendrian, den ein Mann nicht so sieht, wird es dann wohl leider vorbei sein.

Das seltsame Chaos hat Fragen über Fragen ausgelöst, deren Beantwortung man nur mutmaßen kann, im großen und ganzen schwant dem gesamten Personal nichts Gutes. Aber auf jeden Fall hat das Haus Münzer für den heutigen Tag seine interne prickelnde Sensation.

Es ist noch immer der altersschwache gelbe Sportwagen, den Hermann fährt, obgleich er sich längst einen neuen größeren leisten könnte. Schon mancher Geschäftsfreund empfahl ihm das Umsteigen auf ein repräsentativeres Fahrzeug, schon aus Prestigegründen, jedoch er hängt an seinem alten Vehikel mit zäher Liebe und beharrlicher Treue, noch viel mehr als früher, vor der schicksalsschwangeren Moselfahrt. In ihm lebt der Wahn, es sei die schmerzliche Trennung von Lisa und von den mit ihr verlebten glücklichen Stunden erst endgültig, wenn er den Wagen fortgeben würde.

In halsbrecherischem Höllentempo jagt er die wohlbekannten Landstraßen dahin ins spätsommerliche Moseltal. Ganz wohl fühlt er sich nicht in seiner Haut, als er endlich vor dem vertrauten Anwesen der Familie Schweitzer steht. Eine innere Stimme sagt ihm warnend Kummer und Sorgen voraus, seine Erregung ist zu fieberhafter Hochspannung angewachsen. Aber schließlich hat er sich nicht die geringste Unkorrektheit vorzuwerfen, sein Gewissen ist frei von jeder Schuld.

Gewappnet mit einer gehörigen Portion Trotz und mit dem Mut der Verzweiflung, bereit, auch dem gröbsten Empfang entschlossen wie ein Mann entgegenzutreten, dringt er dann in die Höhle des Löwen ein. Und zum zweiten Mal an diesem denkwürdigen Tag erlebt er anschließend eine unbegreifliche Überraschung.

Ungeachtet seines brodelnden Innern betritt er die wohlbekannte Wohnstube, nach außen hin kühl und selbstsicher, er ist nicht mehr der unbekümmerte Jüngling vom vorigen Jahr. Bevor er nach kurzem Gruß überhaupt den Mund aufmachen kann, um den Zweck seines unerwarteten Hierseins zu erklären, streckt ihm Vater Schweitzer beide Hände geradezu herzlich entgegen und sagt mit tiefbewegt vibrierender Stimme:

„Willkommen, mein Sohn!“

Wie angenagelt bleibt Hermann auf dem Platz neben der Tür stehen.

Hat er richtig gehört?

Was hat der alte Mann da vor ihm eben gesagt?

Willkommen? Mein Sohn?

Auf alles, wirklich auf alles war er gefaßt gewesen, sogar auf einen fulminanten Rausschmiß, aber auf einen herzlichen Willkommensgruß nicht.

Sein gemarterter Kopf weigert sich, das zu akzeptieren.

Unbewußt hebt er die Rechte an die schmerzende Stirn, hinter der ein böswilliger Klopfgeist pausenlos zu hämmern scheint.

Ich habe vermutlich den Verstand verloren, ist der einzige klare Gedanke, der ihm noch einfällt.

Er kann die ihm dargebotene Hand nicht nehmen, sondern er sinkt nach einigen Augenblicken fruchtlosen Nachdenkens stumm auf den nächsten Stuhl.

Er findet einfach keine Worte.

Lisas Eltern sehen sich erschrocken und ratlos an. Welch sonderbares Benehmen!

Da stimmt doch etwas nicht!

„Wo ist denn Lisa?" fragt der Vater endlich.

Unwillig unterbricht ihn die Mutter.

„Aber Mann, wie kann sie von zu Hause wegfahren mit einem so kleinen Kind."

Das ist das Stichwort, das Hermann brauchte, um sich der winzigen Wolljäckchen und Spielzeugbierfässer in seinem Wohnzimmer daheim zu erinnern. Bevor er aber dazu kommt, selbst eine konkrete Frage zu formulieren, geht schon das überstürzte Interview der vermeintlichen Großeltern weiter.

„Ist es ein Stammhalter?" will der neugierige Vater als erstes und wichtigstes wissen.

„Wie geht es dem Kleinen?" erkundigt sich die besorgte Mutter liebevoll.

Das Zimmer beginnt sich langsam um Hermann zu drehen, er sucht einen sicheren Halt an der Tischkante. Mit dem letzten Rest seiner schwindenden Entschlußkraft erhebt er sich zu seiner ganzen stattlichen Länge.

„Von wem reden Sie eigentlich alle beide?" fragt er mit mühsam erzwungener Ruhe.

Jetzt ist es an den beiden Alten, ratlos erstaunt zu sein.

„Von unserem Enkelkind natürlich."

Das Organ von Vater Schweitzer hat merklich an Wärme und Herzlichkeit eingebüßt.

„Ein Enkelkind von Ihnen? Wo soll das sein?"

Pause! Ganz große Pause! Es ist, als würde jeder eine dem andern unverständliche Sprache sprechen.

Der unerschütterlich überzeugte Großvater versucht es noch einmal und gibt sich äußerste Mühe, in einem behutsamen und wohlwollenden Tonfall zu reden, so wie man einem nicht ganz zurechnungsfähigen Kranken gut zuspricht.

„Herr Münzer, Ihr Kind ist doch zugleich unser Enkel."

„Ich habe kein Kind," stellt Hermann ruhig und sachlich richtig.

Mutter Schweitzer schreit entsetzt auf und fängt prompt an zu weinen.

„Hat die Aufregung zu dem Unglück geführt?" fragt sie dann voller Angst. „Wie geht es Lisa jetzt?"

Mit Hermanns mühsam gewahrter Selbstbeherrschung ist es zu Ende.

„Das fragen Sie mich? Wie kann ich denn wissen, wie es Lisa geht?"

„Aber ihr seid doch verheiratet."

Diese so selbstverständlich klingende Feststellung aus dem Mund von Lisas Vater haut Hermann vollends um. Das also sagt derselbe Mann, der erst vor einigen Monaten mit aller Bestimmtheit in einem Brief seinen Willen zum Ausdruck brachte, der Sohn eines Weinpanschers dürfe sein Haus nicht mehr betreten und natürlich erst recht niemals sein Schwiegersohn werden. Auf einmal macht sich der leere Magen unliebsam bemerkbar, das Zimmer dreht sich immer schneller ...

„Einen Schnaps," bittet der Gast kaum hörbar und sinkt kraftlos auf seinen Sitz zurück.

Eilig rennt Vater Schweitzer hinaus, das Gewünschte zu holen. Der junge Mann sieht wirklich blaß und mitgenommen aus.

Der starke Mirabel, auf einen Zug hinuntergegossen, belebt Hermann zwar ein wenig, aber noch immer vermag er kein Licht in die verworrene Angelegenheit zu bringen.

„Ich bin nicht verheiratet," sagt er schließlich leise, der Wahrheit entsprechend.

Die Wirkung seiner tonlosen Worte ist katastrophal. Dem alten Bauern quellen die runden Augen fast aus dem krebsroten Gesicht, in der Sofaecke heult die Mutter zum Erbarmen. Zwischen Tränen und Schluchzen preßt sie endlich hervor:

„Aber Lisa ist doch bei Ihnen."

„Nein, bei mir ist sie nicht," stellt Hermann wiederum richtig, so beherrscht es ihm möglich ist.

Jetzt tritt der Hausherr mit der ganzen Wucht seiner massiven Gestalt vor den Besucher hin. Nichts mehr von dem ersten herzlichen Entgegenkommen bei der Begrüßung ist übriggeblieben, wutschnaubend schreit er mit drohend erhobener Faust:

„Also Kerl, bist du doch ein Schuft, ein elender! Das arme Mädel sitzen zu lassen . . ."

Weiter kommt er nicht mit seinem anklagenden Gebrüll, Hermann unterbricht ihn mit flammenden Augen. Die beiden Männer stehen sich jetzt wie zwei zu allem entschlossene Kampfhähne gegenüber.

„Halt! Nun ist es genug! Es reicht mir endgültig! Sie haben kein Recht, mich zu beschimpfen. Merken Sie sich das! Sie haben mir vor einiger Zeit Ihr Haus verboten, auch das war ungerechtfertigt. Ich habe mich hier durchaus fair und korrekt verhalten, ich habe mir nichts vorzuwerfen, rein gar nichts! Sie wissen, daß ich Lisa heiraten wollte. Wegen des Prozesses gegen meinen Vater haben Sie nein gesagt und Lisa hat sich Ihrem Willen gefügt, wie ich annehmen muß. Seit meiner Abreise von hier im Oktober des vorigen Jahres habe ich sie nicht mehr gesehen und seit Einreichung Ihrer Klage nichts mehr von ihr gehört. Also wo ist sie?"

Daraufhin wird Vater Schweitzer sehr kleinlaut. Seine Großmäuligkeit verläßt ihn schon mal, wenn ihm ein Widersacher energisch entgegentritt und ihm in gleicher Münze und in gleicher Lautstärke heimzahlt. Heute kommt noch das belastende Bewußtsein hinzu, absolut falsch gehandelt zu haben und tatsächlich ungerecht gewesen zu sein gegen das einzige eigene Kind. Grausamer alter Esel, der er ist. Der Angstschweiß bricht ihm aus allen Poren. Er zieht das gelbkarierte Taschentuch aus der Hosentasche und trocknet sich die perlende Stirn und die feuchte Glatze. Seine letzten schütteren Haare, als spärlicher Kranz um den blanken Schädel verteilt, streben kreuz und quer durcheinander. Verzweifelt faßt er Hermann am obersten Rockknopf und zerrt erbittert daran herum.

„Lisa muß doch bei Ihnen sein . . .“

Sein heiseres Organ klingt jetzt angstvoll und beschwörend, um Erlösung und Hilfe flehend.

„Sie hat sich was angetan“, wimmert die verzagte Mutter bangend aus der Sofaecke heraus.

Hermann sieht ein, daß er mit konsequenter Sachlichkeit vorgehen muß, wenn er hier absolute Klarheit erzielen will.

„Antworten Sie einmal kurz und bündig nur auf meine präzisen Fragen. Wo ist Lisa zur Zeit?“

Hilflos zuckt der alte Bauer die Achseln.

„Wir wissen es nicht“, sagt er gehorsam mit der gewünschten Bestimmtheit.

„Was???“

„Sie wollte zu Ihnen . . .“

„Ich kann nur wiederholen, was ich vorhin schon sagte, bei mir ist sie nicht. Wann wollte sie angeblich zu mir?“

„Als ich Ende November die Klage einreichte.“

Von neuem muß Hermann sich an der stabilen Tischkante festklammern, die kleine Welt eines bäuerlichen Wohnzimmers wird zum rasenden Wirbel um ihn herum.

„Herr Schweitzer, überlegen Sie genau, was Sie reden. Wollen Sie in vollem Ernst damit behaupten, daß Lisa seit Ende November nicht mehr zu Hause war?“

„Da ging sie weg . . .“

„Wegen des Kindes“, wimmert es erneut aus der Sofaecke dazwischen.

„Von welchem Kind reden Sie denn dauernd? Ich begreife nicht . . ."

„Aber Lisa hat es doch", würgt die von Kummer und Scham gepeinigte Mutter mühsam heraus.

Hermann betrachtet sie wie eine arme Irre.

„Lisa hat ein Kind? Das ist doch wohl nicht möglich!"

Er ist blaß geworden wie der Tod, so hart hat dieser jähe Stoß ihn getroffen, es ist ein unglaublicher Schock. Alle Himmel stürzen über ihm zusammen, alle heimlich neu erblühten Hoffnungen zerrinnen unbarmherzig ins Nichts. Eiskalt greift grausame Ernüchterung nach seinem Herzen. Lisa hat ein Kind?!

Kann man sich so in einem Menschen täuschen? So offene Züge, so kristallklare Augen, und dann dahinter soviel falsches Spiel? Denn ungefähr zum gleichen Zeitpunkt, an dem sie seine große Liebe zu erwidern vorgab, und zwar in gleicher Intensität zu erwidern vorgab, müßte ein anderer hinter seinem Rücken . . . Nein, er kann es sich wirklich nicht bis in die letzten Konsequenzen hinein ausdenken! Es ist, um den Verstand zu verlieren.

Eigentlich hat er nach dieser unvermuteten Klärung der vorangegangenen Verwirrung jegliches Interesse an weiteren Informationen verloren. Er muß jetzt hier heraus an die frische Luft und allein sein, allein mit sich und seiner bitteren Enttäuschung. Seine Qual verlangt Einsamkeit; es gibt Dinge, die man nur mit sich selbst abmachen kann. Durch die elementare Gewalt seines Schmerzes kommt ihm erst völlig zum Bewußtsein, welch riesengroße freudige Erwartung er mit dieser zweiten Moselfahrt verband.

„Hat sie Ihnen denn nicht gesagt, daß sie das Kind erwartet?"

„Wie? Was?"

Mit vieler Mühe muß der Gefragte seine fünf Sinne zusammenreißen, bevor er endgültig begreift. Dann ist er wiederum zutiefst empört, das ist doch wohl die Höhe alles bisher Dagewesenen!

„Mir? Dem abgeblitzten Freier? Ich war bestimmt nicht

die richtige Adresse dafür. Das wird sie dem Mann anvertraut haben, den es anging."

Verletzend und höhnisch klingen den bangenden Eltern seine Worte, in Wirklichkeit sind sie mit äußerster Anstrengung hervorgestoßen. Ihr scharfer Ton soll die dahinterstehende Verzweiflung tarnen.

Der aufgeregte Vater begehrt neuerdings mit seiner alten Energie auf, er kann sich mit dem Gehörten nicht zufrieden geben.

„Was soll denn das wieder heißen? Wollen Sie etwa leugnen, der Vater des Kindes zu sein?"

Hermanns Erbitterung kennt keine Grenzen mehr.

„Aber ja! Und zwar ganz entschieden! Ich habe Ihnen schon vorhin erklärt, daß ich mich Lisa gegenüber völlig korrekt verhalten habe. Ich betone ausdrücklich: völlig korrekt!"

„Das ist ja . . ."

Dem erbosten Bauern bleibt einfach die Sprache weg bei dieser faustdicken Lüge, denn daß es sich nur um eine Vorspiegelung falscher Tatsachen handelt, davon ist er überzeugt. Schließlich ist er ja auch nicht von gestern, er hat sein Leben gelebt, er weiß doch Bescheid. Als junger Tunichtgut fand er sich eines Tages in derselben heiklen Situation wie dieser Kerl da vor ihm. So alt wie die ganze Menschheit ist der unmoralische Versuch, den Kopf aus der Schlinge zu ziehen, indem man einem andern in die Schuhe zu schieben trachtet, was man selber auf dem Kerbholz hat. Soviele Nebenbuhler gibt's gar nicht auf dieser Welt, wie in Alimentenprozessen fälschlich beschuldigt werden. Er hat damals vor dreißig Jahren bei seiner Affäre mehr Glück wie Verstand gehabt, denn das betreffende Mädel hatte nicht weniger als drei Väter für sein Malheurchen, und dran glauben mußte am Ende der Zahlungskräftigste. Damals war ja auch keine Unschuld verdorben worden, aber dagegen jetzt . . . hier . . . Für den Verführer der eigenen Tochter gibt es natürlich weder Pardon noch Entrinnen, das wäre ja noch schöner!

Frau Schweitzer ist so erschrocken, daß ihr sogar die beharrlich fließenden Tränen versiegen. Mit erhobenen Händen kommt sie auf Hermann zu und bittet flehend:

„Herr Münzer, wenn Sie Lisa liebgehabt haben, so sagen Sie uns alles, was Sie wissen, auch eine bittere Wahrheit. Sie sehen ja unsere Sorgen und die Angst ... es ist doch unsere Einzige!"

Der Gram der verzweifelten Mutter um ihr verlorenes Kind schneidet Hermann tief ins Herz, die arme Frau hat seit dem vergangenen Jahr unwahrscheinlich gealtert. Scharfe Falten haben sich in ihre Mundwinkel eingekerbt, und die geröteten Augen zeugen von vielen Tränen in durchwachten Nächten. Aber er vermag ihr beim besten Willen nicht zu helfen, er weiß selbst nichts.

„Ich kann Ihnen wirklich nicht mehr sagen als vorhin. Seit ich im letzten Oktober mit meinem Freund zusammen von hier weggefahren bin, habe ich Lisa nicht mehr gesehen. Wir hatten uns vor meiner Abreise ausgesprochen und waren übereingekommen, bald zu heiraten. Das wird Ihnen kein Geheimnis geblieben sein, ich wollte nur zuerst mit meinem Vater sprechen. Lisa und ich haben häufig Briefe gewechselt, auf meinen letzten habe ich allerdings keine Antwort mehr erhalten. Gleich nachdem ich von Ihrer Anklage gegen meinen Vater hörte, schrieb ich ihr, wir wollten trozdem zusammenhalten. Es mußte sich doch alles aufklären und konnte unsere Liebe nicht berühren. Aber sie hat sich Ihnen gefügt. Es hat mir sehr wehgetan, doch ich habe ihren Entschluß respektiert und nie wieder den Versuch einer Annäherung gemacht. Liebe kann man nicht erzwingen. Aber heute früh ... der Korb mit der Säuglingswäsche ... jetzt beginne ich den Zusammenhang zu begreifen ..."

Auch diese offenen Worte vermögen keine endgültige Klarheit in das verwirrende Hin und Her zu bringen.

„Das Kind muß doch das Ihre sein", murmelt Vater Schweitzer in seiner Hilflosigkeit hartnäckig dazwischen.

Daraufhin entlädt Hermann die eigene grausame Enttäuschung und eine plötzlich auflammende wütende Eifersucht auf den unbekannten Nebenbuhler durch allerdeutlichste Grobheit.

„Zum Donnerwetter nochmal nein, sage ich Ihnen! Ich

weiß doch, was ich getan oder vielmehr, in diesem Falle, nicht getan habe."

Ganz leise in das lautstarke Männergebrüll tönt wieder die trostlose Stimme der Mutter:

„Lisas letzte Worte hier in diesem Zimmer waren: ich werde Hermann heiraten . . . ich muß Hermann heiraten."

„Was hat sie gesagt? Sie muß mich heiraten?"

Es ist nicht zu fassen! Da ist eine Wand, eine undurchdringliche Mauer, gegen die jedes vernünftige Denken vergebens anrennt. Wie kommt das Mädchen zu solch bestimmter Behauptung, die genau genommen nur die übliche Deutung zuläßt? Es sieht wirklich so aus, als habe Lisa ihn als Attentäter vorschieben wollen, um den wahren Schuldigen zu decken. Aber das kann unmöglich ihre Absicht gewesen sein, das traut Hermann ihr einfach nicht zu. Untreue vielleicht, wer lotet jemals ein zwanzigjähriges Mädchenherz bis auf den tiefsten Grund aus, außerdem gibt es die raffiniertesten Verführer, die bei einem unerfahrenen Mädchen leichtes Spiel haben. Aber solch eine ausgesprochene Gemeinheit? Ein regelrechter Betrug? Undenkbar! Ausgeschlossen!

Noch gibt Hermann den Kampf nicht auf und er beginnt weiter zu fragen, um den wahren Sachverhalt zu ergründen.

„Wenn es so wäre, wie Sie annehmen, warum hat Lisa dann überhaupt nicht auf meinen letzten Brief reagiert?"

Ein qualvolles Stöhnen antwortet ihm. Wie um Jahrzehnte gealtert schlurft der von seiner eigenen Dickköpfigkeit geschlagene Bauer an seinen Schreibtisch, zieht die mittlere Schublade auf und kramt und wühlt in wilder Aufregung unter den vielen Papieren herum. Endlich fördert er einen Umschlag zutage, einen noch verschlossenen Umschlag. Es ist der letzte Brief von Hermann an Lisa, von dem eben die Rede war. Klar, daß er ohne Antwort bleiben mußte, da er erst eintraf, als die Tochter das Haus bereits verlassen hatte.

Nur einen Blick wirft Hermann auf den alten Mann, so anklagend, daß der sich unwillkürlich duckt. Er ist sich selbstverständlich heute bewußt, daß er damals das Schreiben hätte zurückschicken müssen, unzustellbar, Adressatin mit unbekanntem Ziel verreist oder ganz einfach Annahme verweigert.

Ob so oder so, der Brief mußte an den Absender zurück; was er tat, kommt einer Unterschlagung gleich. Aber seine verdammte Hitzköpfigkeit macht ihn gelegentlich toll. In solchem Zustand ist er unfähig, sich über die Folgen seiner Handlungsweise bis in die letzten Konsequenzen hinein klar zu werden. Wie oft sind ihm im Jähzorn schon unangenehme Pannen passiert, bei denen er zum Schluß die Zeche zahlen mußte. Gelernt hat er daraus nie. Allerdings war noch niemals eine seiner unüberlegten Eigenmächtigkeiten so folgenschwer wie diese.

Die peinigende Ungewißheit um Lisas Schicksal wird durch den ungeöffneten Brief — wenn möglich — noch verschlimmert. Aber daß dieser trotzige kleine Satan nicht von sich aus etwas hören ließ, in all' den langen Monaten, das ist nahezu unglaublich und kaum zu fassen.

Hermann ist wunderlich zumute. Sein klarer nüchterner Verstand sagt ihm ganz präzise, du bist verdrängt, ein Glücklicherer als du hat sich den von dir ersehnten Platz erobert. Möglicherweise bist du längst vergessen. Was suchst du also noch hier? Fahr ganz schnell nach Hause, auf dem kürzesten Weg, und tilge gründlich aus deinem Gedächtnis jede Erinnerung daran, daß es an der Mosel braunäugige Mädchen gibt.

Indessen, irgendein geheimnisvolles inneres Gefühl wehrt sich gegen solche Zumutung mit aller Wärme und aller Liebe, die Lisa einst in den sonnigen Tagen geweckt, mit zärtlichen Blicken und gewährendem Lächeln vertieft und dann noch mit heißen Lippen besiegelt hat.

Er muß dieser unwahrscheinlichen Sache auf den Grund gehen, zielbewußt und bis zum Ende, möge es ausfallen, wie es will. Er muß wissen, wie die Wahrheit aussieht, die nackte ungeschminkte Wahrheit, sonst kann er niemals seinen Seelenfrieden wiederfinden. Schließlich kann es keinem Mann einerlei sein, für die gehabten Freuden eines andern den Sündenbock spielen zu müssen.

Wo aber soll er Lisa suchen? Wohin kann sich der trotzende kleine Dickschädel verkrochen haben? Offenbar ist sie genau-

so starrsinnig wie ihr Alter. Da fiel weiß Gott der sprichwört-
liche Apfel nicht weit von seinem Stamm.

„Haben Sie eine Ahnung, wo sie sein könnte?"

„Vielleicht bei der Patin", schlägt die Mutter leise vor. Das
leuchtet ein, die Möglichkeit ist nicht von der Hand zu weisen.

Die Patin ist eine unverheiratete Schwester von Frau
Schweitzer, etwas älter als sie und seit dem Tod beider Eltern-
teile allein lebend. Lisa hatte als Schulkind oft und gern ihre
Ferien bei ihr verbracht und trotz des mit dem Alter zuneh-
menden schrulligen Wesens der Tante ihr eine gewisse Anhänglichkeit bewahrt. Es könnte schon sein, daß sie dort Zuflucht gesucht und natürlich auch gefunden hatte, als sie so
abrupt und unfreiwillig das Elternhaus verließ.

Der Ertrinkende greift nach einem Strohhalm, also wird
schnell beschlossen, sich bei der Patin nach Lisa zu erkundigen. Sie wohnt nur eine halbe Autostunde moselaufwärts entfernt. Freilich fühlt sich Hermann im Augenblick außerstande
zu fahren, ihm ist entsetzlich flau im Magen. Jetzt rächt sich
das abgebrochene Frühstück, die notwendige Grundlage für
den ganzen Tag mit all' seinen Anforderungen. Er hätte zu
Hause etwas essen sollen, jenes knusprige Brötchen mit dick
Butter drauf und soviel leckerem Honig, daß er nach allen
Seiten überlief. Der Körper verlangt immer sein Recht.

„Ich habe nicht gefrühstückt", muß er notgedrungen be-
kennen, so peinlich es ihm ausgerechnet hier und jetzt ist.
Erst nachdem er, um wieder fit zu werden, ein Stück rosiges
Rauchfleisch und ein paar Bissen Brot appetitlos hinuntergewürgt hat, besteigen die beiden Männer das gelbe Auto und
fahren los.

Leise surrend frißt der Wagen die vor ihm liegenden Kilo-
meter in gleichmäßigem Tempo, trotz aller Aufregung hat
Hermann das Steuer fest und ruhig in der Hand. Der alte
Mann neben ihm sieht es mit einer gewissen widerwilligen
Hochachtung. Donnerwetter, der Kerl beherrscht sich fabel-
haft. Für die reizvolle Landschaft des Moseltals, das sie durch-
eilen, hat keiner von beiden auch nur einen Blick. Sie reden
kaum, die Spannung ist zu groß. Mit ihnen fährt die blanke
Angst um das Schicksal des geliebten Mädchens.

Erleichtert atmen sie auf, als das Ziel ihres Unternehmens in Sicht ist. Auf Weisung von Vater Schweitzer hält der Wagen bald vor einem gepflegten Haus, das mitten in einem Blütenmeer liegt. Der Vorgarten ist erfüllt von spätsommerlicher Farbenpracht in Hülle und Fülle. Da blühen dunkelrote und zartgelbe Rosen, da glühen in allen Variationen üppige Dahlien, die vielfältigen Farbnuancen in den einzelnen Beeten harmonisch aufeinander abgestimmt. Hier war ein Könner und Liebhaber zugleich am Werk, ein paar Quadratmeter Boden wurden in ein kleines Blumenparadies verwandelt. Für einen kurzen Augenblick wird Hermann abgelenkt von Kummer und Sorgen durch die unvergleichliche Schönheit dieses Fleckchens Erde.

In einer abgelegenen stillen Dorfstraße wird ein unerwartetes Motorengeräusch nicht unbedingt als Störung empfunden, sondern viel eher als willkommene Unterbrechung der täglichen Eintönigkeit, vorausgesetzt natürlich, die begreifliche Neugier wird hinreichend befriedigt. Darum bewegen sich, als unvermutet der gelbe Wagen hält, an vielen Fenstern vorsichtig die Gardinen. Es ist klar, daß man wissen will, was los ist. Wer kommt zu wem zu Besuch? Aus der Geborgenheit der guten Stube wird heimlich und aufmerksam das Nummernschild des fremden Autos studiert.

Und dann erscheint die Patin auf der Schwelle ihres Hauses, um nachzusehen, wer bei ihr vorgefahren ist.

Hermann prallt fast zurück, als er sie da in der offenen Haustür stehen sieht. Das kann doch nicht möglich sein, er hat Mühe, wenigstens den Schein zu wahren. Denn geradezu ungeheuerlich ist der Gegensatz zwischen der Blumenherrlichkeit des Vorgartens und der äußeren Erscheinung seiner Besitzerin. Nach der ebenso lieblosen wie kritischen Beschreibung ihres Schwagers war er auf manches gefaßt gewesen, aber die Wirklichkeit übertrifft die schlimmsten Erwartungen.

Die Patin ist eine vertrocknete alte Jungfer von reizlosem Aussehen, eine Gattung der Menschheit, wie sie glücklicherweise heutzutage nahezu, wenn auch leider noch nicht radikal ausgestorben ist. Ihr hageres Knochengestell ist dürftig in düstere Farben gekleidet. Alles an ihr wirkt grau in grau, das strähnige Haar, der verblichene Teint, der grobe Kleiderstoff, die derben Pantoffel. In ihrem spitz gewordenen Gesicht voll unzähliger Krähenfüße ist die ganze Bitterkeit eines unbefriedigten, vom Leben enttäuschten Frauendaseins abzulesen.

Sie hält es nicht für der Mühe wert, ihr Befremden über den unerwarteten Besuch zu verbergen, die verwandtschaftlichen Beziehungen sind seit langem mehr als kühl. Es ist kein freundlicher, sondern ein sehr kritisch prüfender Blick, mit dem sie den Ankommenden entgegensieht, um sie dann mit einer knappen Handbewegung zum Eintreten aufzufodern. Denn als einladend kann man die nur eben angedeutete Geste beim besten Willen nicht bezeichnen. Aber die Patin hegt nun einmal in Bausch und Bogen einen abgrundtiefen Haß gegen alle Männer, weil nämlich keiner von ihnen sie jemals zur Frau gewollt hat.

Recht frostig begrüßt sie die ungebetenen Gäste und führt sie in ihr zu ebener Erde gelegenes Wohnzimmer. In dem großen lichtdurchfluteten Raum blinkt und blitzt alles, die polierten Nußbaummöbel, die spiegelnden Fensterscheiben, der gebohnerte Fußboden. Nirgends vermöchte man das geringste Stäubchen zu entdecken, nur sucht das Auge des Besuchers unwillkürlich irgendwo den unentbehrlichen Wischlappen, der zweifellos stets griffbereit liegen muß, um einen versehentlichen Fingerabdruck sogleich entfernen zu können. Es gibt eine fanatische Sauberkeit, die keine heimelige Wärme aufkommen läßt, weil sie mit dem letzten Staubkörnchen auch jeden Funken Gemütlichkeit zur Tür hinausfegt. Hier ist es so.

Die knochigen Hände auf der blaugrau gewürfelten Schürze gefaltet, erwartet die Hausherrin mit undurchdringlicher Miene, was ihr Schwager ihr zu sagen hat. Daß er mit seinem überraschenden Besuch eine bestimmte Absicht verbindet, ist ihr von vornherein klar. Er kennt sie nur, wenn er ein Anliegen hat, das war schon immer so. Sie sind niemals gute Freunde gewesen, sie beide, denn vom Beginn seiner Ehe an hat er versucht, auch bei ihr wie zu Hause den Herrischen, den Überlegenen herauszukehren. Allerdings hat er damit ihr gegenüber kein Glück gehabt, er war entschieden an der falschen Adresse.

„Das kannst du bei deiner Frau tun, so oft und so viel es dir beliebt", hat sie ihn eines schönen Tages mit verletzender Offenheit belehrt. „Erstens ist sie die gefügige Demut in Person, zweitens ist sie ja quasi gesetzlich verpflichtet, deine widerwärtigen Launen auszuhalten. Ich bin es nicht, merk dir das!"

Bei diesem Wärmegrad der verwandtschaftlichen Beziehungen ist es dem Bauern natürlich doppelt ärgerlich und beschämend, in solch fataler Angelegenheit wie heute bei ihr erscheinen zu müssen. Er fühlt sich gar nicht wohl in seiner Haut, aber was tut man nicht alles in der Angst um das einzige Kind, noch dazu, wenn einem das folternde Schuldgefühl unerbittlich im Nacken sitzt.

Er räuspert sich lange und umständlich und beginnt dann verlegen zu stottern.

„Wir haben uns lange nicht gesehen, Maria . . . es geht dir hoffentlich immer gut. Du wirst dir denken können, warum wir heute zu dir kommen. Dies hier ist der junge Herr Münzer. Lisa ist doch sicher bei dir . . ."

Es ist nicht zu verkennen, daß es der Patin eine höchst befriedigende Genugtuung ist, zwei ausgewachsene Mannsbilder als verlegen flehende Bittsteller vor sich zu sehen. Sie kostet diese nie zuvor erlebte Situation bis zum Äußersten aus. Erst nach wohlberechneter Pause wendet sie sich an Vater Schweitzer, seinen stattlichen Begleiter übersieht sie so brüsk, als sei er noch ein grüner Schuljunge. Sie hat gegen die Vertreter des andern Geschlechts in diesem Alter eine besonders heftige Abneigung, die noch aus der Zeit ihrer Jugend stammt. Damals wurde sie zu ihrem großen Kummer von eben diesen Jahrgängen allzuoft nicht beachtet.

„Mein lieber Schwager", beginnt sie endlich in salbungsvoller Sprache und fordert prompt mit der geheuchelt liebenswürdigen Anrede des Bauern heimlich kochenden Zorn heraus. ‚Ich bin nicht dein lieber Schwager', möchte er erbost dagegen kontern und dazu Gift und Galle spucken, aber er muß alles in sich hineinwürgen, Ingrimm und Erbitterung, und was er jetzt hören wird obendrein.

„Du bist sehr hart gegen dein einziges Kind gewesen. Es war ein Glück, daß Lisa wußte, wo sie immer Verständnis und Liebe finden wird ..."

„Also ist Lisa hier?" fragt Hermann schnell dazwischen. Diese umständliche Redeweise, dieses pathetische Getue, das ist ja nicht auszuhalten.

Er empfängt einen streng verweisenden Blick, der so ungefähr heißen soll, man unterbricht erwachsene Leute nicht beim Sprechen.

„Nein, Lisa ist nicht hier", beantwortet sie dann würdevoll seine Frage. „Aber natürlich weiß ich, wo sie sich befindet. Zu mir hatte sie Vertrauen, bei mir hat sie sich ausgeweint ..."

Jetzt wird es auch Vater Schweitzer zuviel, er hat für seine explosive Natur das Höchstmaß an Selbstbeherrschung aufgebracht.

„Nun sag schon, wo sie ist", drängt er heftig und befehlend. Eine Zentnerlast an Sorgen ist ihm vom Herzen herunter und gleich ist er wieder der alte Despot.

Das war ein taktischer Fehler, die Patin lächelt ihm hohnvoll in das feiste rote Gesicht.

„Das könnte dir so passen", sagt sie hämisch. „Du wirfst sie in deinem unverantwortlichen Jähzorn aus dem Haus, du verbietest ihr obendrein ein- für allemal die Rückkehr und nimmst ihr damit die Heimat. Und wenn es deinem egoistischen Vaterherzen einfällt, willst du sie kurzerhand wiederhaben. Ein Mensch ist doch keine Ware, die man nach Belieben hin und her schieben kann. Ein Mädchen, noch dazu die eigene Tochter, ist zu gut, um Spielball für gallige Männerlaunen zu sein. So, das ist meine Meinung!"

Um Gottes willen, sie hat wieder einmal eine eigene Meinung, das ist wie ein Fels in der Brandung!

Der abgekanzelte Bauer sieht seine eben noch so hoffnungsvoll scheinende Mission erbarmungslos scheitern. Jeder in der Familie weiß genau, daß seine Schwägerin sich eher in Stücke hacken ließe, als eine einmal gefaßte Meinung zu ändern. Sie ist das dickköpfigste Frauenzimmer, dem er in seinem Leben begegnete, und er haßt sie, weil sie keinerlei Respekt vor ihm hat. Ohne jede Scheu wagt sie, ihm zu widersprechen, und wie! Mit allem Nachdruck pflegt sie ihren Standpunkt zu vertreten, und dumm ist sie schon gar nicht, wenn es gilt, sich durchzusetzen. Was hat er damals für ein Glück gehabt, daß er die sanfte, allezeit fügsame und geduldige Luise wählte. Im Grunde wollte er sich hauptsächlich die günstig gelegenen Weinberge sichern. Welche der beiden Schwestern ihm dazu verhelfen sollte, das kam erst in zweiter Linie.

Am liebsten möchte Vater Schweitzer jetzt in seiner ohnmächtigen Wut sämtliche auf Hochglanz polierten Möbel zertrümmern und die blankgeputzten Fensterscheiben dazu. War es nötig, daß dieses Biest von einem Weib das ganze Drama von Lisas Hinauswurf bis in alle Einzelheiten aufrollte? Und das vor einem ihm bis dato völlig unbekannten Dritten? Wie steht er jetzt da vor diesem jungen Mann? Wie ein unbarmherziger Rabenvater! Er traut sich kaum mehr recht, ihn anzusehen, es war doch alles nicht so böse gemeint . . .

Anstatt nun in höchster Lautstärke seinem kochenden Ärger Luft verschaffen zu können, muß sich der Bauer noch einmal eisern beherrschen. Er muß stillhalten und nach außen hin vollkommen ruhig bleiben, ohne Ausrutscher wie vorhin, mag es ihm noch so schwerfallen. Aus langjähriger Erfahrung weiß er genau, nur mit ergebener Freundlichkeit kann er als Mann bei der verschrobenen alten Jungfer etwas erreichen. Wie konnte er das vergessen! Er schaltet also wohl oder übel um auf gewinnende Höflichkeit und spricht nun mit ölig devoter Stimme.

„Sei bitte so gut und gib uns Lisas Anschrift."

„Ich habe versprochen, sie nicht zu verraten, und ich pflege meine Versprechen zu halten. Ich kann schweigen wie das Grab, und ich werde schweigen wie das Grab."

Also es ist nichts zu wollen, das Weibsbild läßt sich nicht erweichen, das sehen die beiden Männer allmählich ein. Ihr peinlicher Bittgang war vergeblich. Nur eines möchte der enttäuschte Vater von der Vertrauten seiner Tochter noch wissen, um seiner zu Hause bangenden Frau wenigstens eine beruhigende Auskunft mitbringen zu können.

„Dann sag mir wenigstens, wie es Lisa und dem Kind geht."

„Lisa und wem?"

„Mein Gott, dem Kind!"

„Ein Kind? Wo ist ein Kind? Wer hat ein Kind?"

Vater Schweitzer ist dem Explodieren nahe, sein Gesicht hat jetzt die Farbe eines abgekochten Hummers.

„Ich dachte, Lisa hätte Vertrauen zu dir. Vorhin hast du es zumindest großartig behauptet. Und du weißt nicht einmal, daß sie ein Kind bekommen hat?"

Die Patin kreischt auf, schrill und ohrenbetäubend, empört und entsetzt. Das ist jetzt kein Theater mehr, das zeugt von einem echten Schock. Die alte Frau ist vernichtet von der schrecklichen Eröffnung, die bei ihren altmodischen Ansichten eine Schande für die ganze Familie bedeutet. Sie hängt gebrochen in ihrem Stuhl wie eine vom Sturmwind geknickte Lilie und ringt hörbar nach Luft. Mit fast versagender Stimme flüstert sie endlich:

„Aber sie ist doch selbst noch ein Kind!"

„Denkste", antwortet der alte Bauer trocken. Aller Kummer eines schwergeprüften Vaterherzens und aller Zorn über vernichtete Hoffnungen liegen in diesem einen Wort.

Auch seine Schwägerin begräbt in diesem Augenblick langgehegte und liebgewordene Träume von Lisas Zukunft. Wohl hatten darin auch ein Mann und Kinder ihren Platz, jedoch in weiter Ferne und selbstverständlich nur mit Kranz und Schleier und mit Standesamt und kirchlichem Segen. Die geliebte Nichte sollte nicht dasselbe traurige Schicksal tragen müssen wie sie selbst.

Einerseits entrüstet und andererseits gebrochen, bekennt sie erschöpft, was Lisa als Grund für ihre Verbannung aus dem Elternhaus angab.

„Mir hat sie vorgemacht, man wolle sie zu einer Heirat mit einem ungeliebten Mann zwingen."

Nach diesem Eingeständnis sinkt die alte Frau zusammen, es war zuviel für sie. Das Leben hat ihr manche Enttäuschung bereitet, aber dieser Fehltritt des vergötterten Patenkindes und dann die Lüge obendrein, wenn sie die auch als Notlüge anerkennt, das ist das Bitterste, was ihr das Schicksal an ihrem Lebensabend aufbürden konnte. Immerhin hat sie noch die Energie, einen unmißverständlich verachtungsvollen Blick auf Hermann zu werfen, der trotz des Bewußtseins seiner absoluten Unschuld ergeben stillhält. Jetzt weiß sie, warum dieser junge Mann mitgekommen ist in ihr Haus, in ihr — seit einer gewissen Zeit — vor Männern so peinlich gehütetes Haus.

Ihre spitze Nase kriegt einen grünlichgelben Schimmer, die ganze hohe hagere Person zittert vor lauter Aufregung, von dem lieblos am Hinterkopf zusammengedrehten grauen Knötchen aus dem straff hinter die abstehenden Ohren gekämmten Haar bis zu den ausgetretenen Filzpantoffeln, deren Länge jedem Gardegrenadier zur Ehren gereicht hätte. Ihre Brust, von keinerlei weicher weiblicher Rundung geschwellt, pumpt voller Anstrengung die Luft aus und ein. Sie ist noch nicht oft in ihrem Dasein so sprachlos gewesen wie zu dieser Stunde, o nein, denn sie hat die ganze gottbegnadete Beredsamkeit ihres Geschlechts mit auf die Welt gebracht, leider allerdings ohne die eigentlich dazugehörigen weiblichen Reize.

Als Vater Schweitzer sie so sehr leiden sieht, verspürt er eine seltene mitfühlende Regung und versucht gutmütig, sie zu beruhigen.

„Nimm dir's nicht so zu Herzen."

Mitleid von dem verhaßten Mann ihrer Schwester ist so ungefähr das Letzte, was die Patin jetzt noch verkraften kann. Er soll von ihr nicht den Eindruck eines schwächlichen Nervenbündels mit nach Hause nehmen. Sie ist es auch im Grunde ihr Leben lang nicht gewesen, sie konnte jede Situation meistern. Umgehend findet sie ihre alte Tatkraft wieder und schneidet jede weitere Erörterung mit ihrer charakteristischen resoluten Handbewegung kurzerhand ab.

„Mit euch bin ich fertig, mit euch allen!"

„Dann sag doch, wo Lisa ist."

Wenn der alte Bauer will, kann er beinahe schmeicheln. Vielleicht kann man ihr jetzt in der Wut das Geheimnis von Lisas Aufenthalt entlocken. Aber er hat sie unterschätzt, sie läßt sich nicht aufs Glatteis führen.

„Nein", erklärt sie entschieden, „ich habe versprochen zu schweigen, und ich werde es tun, wenn deine Tochter es auch nicht verdient hat."

Nun, nachdem er endgültig erkannt hat, daß alle Liebesmühe vergeblich war, sieht Vater Schweitzer nicht ein, warum er noch länger Rücksicht nehmen soll. Mit seiner bisher mühsam gewahrten Selbstbeherrschung ist er sowieso am Rande. Also entlädt er seine ganze Erbitterung über die Abfuhr, die er sich geholt hatte, auf die ihm eigene grobe Weise.

„Du bist ja immer schon ein Drachen besonderer Art gewesen."

„Mag sein", gibt die Patin ohne weiteres zu, „aber eine Gemeinheit wird mir niemand nachsagen können. Und auch keinen Fehltritt! Die heutige Jugend ist eben verdorben, richtiggehend verdorben, ganz anders als zu meiner Zeit, da gab es noch die wahre Tugend . . ."

Beim Anhören solcher einfältigen und überheblichen Redensarten zerspringt in Schweitzers Brust die krampfhaft zurückgestaute Rage, es gibt für ihn kein Halten mehr. Klar, daß sich kein normaler Mann an einer derart widerlichen Giftnudel vergreift.

„Tugend ist, wenn keiner kommt!" zitiert er laut und deutlich mit beißendem Hohn und hat damit den Nagel auf den Kopf getroffen. Mit drei Riesenschritten tritt er an das Fenster, um den tobenden Vulkan in seinem Innern etwas abzukühlen. Er ist zwar wohlerzogen, wie er sich einbildet, aber dies hier ist einer der Momente, in denen er alle Selbstdisziplin braucht, um seine gute Kinderstube nicht zu vergessen. Sonst könnte es ein Unglück geben, denn am liebsten möchte er dieses verschrobene Frauenzimmer an den knochigen Schultern packen und wie einen nassen Lappen hin und her schütteln, daß ihm Hören und Sehen verginge.

Auf der weißgestrichenen, unwahrscheinlich blanken Fensterbank liegt ein aufgeschlagenes Buch, ein Wunder überhaupt bei soviel fanatischer Ordnungsliebe. Darauf befindet sich die notwendige Brille und da, als Lesezeichen, der Bauer traut seinen Augen kaum, ein Briefumschlag mit der Anschrift der Patin, unzweifelhaft geschrieben von Lisas Hand.

Er reißt das verräterische Stück Papier so ungestüm an sich, daß die Brille auf den Fußboden fällt. Ehe die entsetzte Hausfrau eingreifen kann, hat er den erbeuteten Umschlag gewendet und liest als Absender: Lisa Schweitzer, Kinderheim Dr. Kocher.

Der alte Bauer hat Mühe, Haltung zu wahren, viel lieber stieße er ein Triumphgeheul aus. Die Kinderklinik von Dr. Kocher liegt ganz in der Nähe der Weinstube von Herrmann Münzer, er vermutete demnach nicht ganz zu Unrecht die Tochter in seiner Nähe. Wenigstens die Richtung stimmt! Sollte übrigens der Aufenthalt dort im Kinderheim bedeuten . . .

Ach, er kann sich jetzt nicht die Zeit nehmen, über diesen äußerst verdächtigen Umstand weiter nachzudenken. Hastig wirft er die verräterische Briefhülle auf ihren Platz zurück, die heruntergefallene Brille achtlos und ohne alle Gewissensbisse dazu, das empörte Gesicht der Patin bewußt ignorierend. Bevor diese Worte findet, ihrem Ärger in der wirkungsvollsten Form Ausdruck zu geben, um den rücksichtslosen Schwager mit dem unglaublichen Benehmen gebührend in seine Schranken zu verweisen, hat er mit blitzschneller Initiative einen Entschluß gefaßt. Er packt den vor lauter Überraschung sprachlosen jungen Mann heftig am Art und zerrt ihn mit unwiderstehlicher Gewalt hinaus auf die Straße und in den gelben Wagen hinein. Eine Abschiedszeremonie hält er für überflüssig.

Hermann startet mit aufheulendem Motor.

Hinter ihnen bleibt stumm die überlistete Patin zurück, wie vor den Kopf geschlagen, weil sie das Nachsehen hat, und vor lauter Zorn so starr wie Lots Weib im neunzehnten Kapitel des ersten Buches Mose . . .

Aber in ihrem Innern kocht es. Die soeben erlebte Szene hat bestimmt nicht dazu beigetragen, ihre feindseligen Gefühle gegen das gesamte männliche Geschlecht abzuschwächen. Im Gegenteil, sie hat ihre geringschätzige Meinung nur noch vertiefen können. Sind sie nicht alle rücksichtslos, unhöflich und brutal, diese Männer? Von ihrer wieder einmal mehr bewiesenen Verantwortungslosigkeit auf einem bestimmten Gebiet ganz zu schweigen!

Resigniert stapft sie zu ihrem bequemen Lehnsessel. Er ist der Zufluchtsort, in dem sie ihre nachdenklichen Stunden zu verbringen pflegt, und im Augenblick gibt es so viel zu bedenken. Da ist zunächst das Erschütterndste: Lisa, ihre geliebte kleine Lisa ist jetzt eine junge Mutter, allerdings eine unverheiratete junge Mutter. Das ist doch nicht in Ordnung, das gehört sich doch nicht, wie konnte sie nur! Jedoch... so jung sie noch ist, sie hat schon das Wunder der Liebe erlebt!

Die alte Jungfer seufzt aus Herzensgrund. Zum wievielten Mal in ihrem einsamen freudlosen Dasein meldet sich in ihr ein leise nagendes Gefühl des Bedauerns, dereinst in die Grube fahren zu müssen, ohne die vielgepriesene und viel geschmähte Liebe jemals kennengelernt zu haben. Natürlich muß dieses unkeusche Empfinden unterdrückt werden, es ist direkt schamlos, sie will es vor sich selbst nicht wahrhaben. Aber ganz tief, im allerverschwiegensten innersten Innern, da sitzt irgendwo ein Hauch von Neugier, dem es leid tut, niemals einen Mann im leidenschaftlichen Sinnenrausch erlebt und niemals selbst höchste Liebeslust genossen zu haben. Indessen ohne Standesbeamten und Pfarrer... ausgeschlossen, nie und nimmer!

Seit frühester Jugend hat sie gewußt, was sie ihrer Familie und ihrem eigenen guten Ruf schuldig war, und sie hat danach gehandelt. Freilich, wenn sie jetzt kompensieren würde: hier die stolze Befriedigung, nichts bereuen zu müssen, dort die ewige Sehnsucht, die niemals Erfüllung fand... auf kurzen Nenner gebracht, die unverletzte Jungfräulichkeit gegen die Glut männlicher Umarmung, würde dann die Genugtuung über ihre Tugend den Sieg davontragen? Oder ist sie ganz einfach nur unglaublich dumm gewesen, an den Freuden der Liebe vorbeizugehen?

Alle diese, um ihr leidenschaftsloses Leben kreisenden Gedanken, kreidet sie dem jungen Mann, der ohne jeden Zweifel ihre unschuldige Nichte verführt hat, zusätzlich auf der Sollseite an. Er, nur er trägt die Schuld an ihren heutigen zwiespältigen Reflexionen, nur er hat den ungewöhnlichen Aufruhr ihrer Gedanken entfacht.

Aber Schluß jetzt mit den unfruchtbaren Grübeleien, sie ändern nichts, sie führen zu nichts! An die Arbeit! Im Gemüsegarten hinter dem Haus muß ein Beet für die Aussaat von Rapunzelsalat vorbereitet werden. Es ist höchste Zeit dafür, der Samen braucht lange, bis er aus dem Boden kommt.

Während der unbefriedigenden Meditationen der Patin rast das brave gelbe Auto mit besten Kräften auf der sonnigen Uferstraße seinen Weg zurück. Diesmal vergeht Lisas Vater Hören und Sehen von der überhöhten Geschwindigkeit, er muß mit beiden Fäusten zugleich seinen vom Luftzug gefährdeten Hut festhalten. Er wird seinem Schöpfer danken, wenn er heil und sicher mit beiden Beinen wieder auf seinem Grund und Boden stehen wird. Allerdings, um der Gerechtigkeit willen muß er bei sich zugeben, daß der Kerl da neben ihm ganz ausgezeichnet fahren kann, das muß man ihm lassen.

Vor dem Schweitzer'schen Anwesen angekommen, weigert Hermann sich ganz entschieden, zu einem noch so kurzen Aufenthalt auszusteigen. Was er zur Klärung des Falles beisteuern konnte, hat er getan, nun will er weiter, zurück nach Hause. Er setzt den aufgeregten alten Bauern ab und beruhigt mit wenigen guten Worten dessen besorgte Frau, die auf das sehnlichst erwartete Motorengeräusch hin aus der Haustür gestürzt kam.

„Wir wissen jetzt, wo Lisa ist. Sie steht in Briefwechsel mit der Patin, es geht ihr gut und alles ist in bester Ordnung."

Gar nichts ist in Ordnung, denkt er dabei unglücklich bei sich selbst, es ist direkt ein Hohn, so etwas zu behaupten, aber manchmal ist man im Leben zu wohltuenden Notlügen gezwungen. Was weiß er denn wirklich von Lisa? Und der gemeine Verdacht ist auch auf ihm sitzen geblieben!

„Ich werde mich natürlich gleich morgen mit ihr in Verbindung setzen und dann sofort Nachricht geben."

Das ist ein festes Versprechen.

Gleich danach braust Hermann in demselben wahnsinnigen Höllentempo davon, in dem er gekommen war. In ihm tobt ein Sturm, ein Orkan, Windstärke zwölf!

Muß er nicht doch annehmen, daß Lisa ein Kind hat, wenn sie sich in einem Kinderheim befindet? Was hätte sie sonst da zu suchen? Aber wann kann dieses Balg zur Welt gekommen sein? Und dann, das Wichtigste von allem, was er unbedingt in Erfahrung bringen muß, wer ist der Vater? Er möchte diesen verantwortungslosen Schurken kennenlernen, um ihn zu Boden schlagen zu können. Er möchte ihn . . .

Ja, was denn? Was will er eigentlich? Er kennt doch die tatsächlichen Geschehnisse nicht, nur seine Eifersucht macht ihn toll. Er sieht rot, wenn er an seinen glücklicheren Nebenbuhler denkt.

Das einzige, was er wirklich tun kann, wenn er sich die leidige Angelegenheit objektiv überlegt, das einzig Richtige überhaupt wird sein, ihr, Lisa, wenn er sie morgen gefunden hat, ganz gründlich die Meinung zu sagen, seine unmißverständliche Meinung. Es geht im Leben nicht an, dem einen Mann schöne Augen zu machen und sich von ihm die roten Lippen warmküssen zu lassen, und kaum daß er den Rücken wendet . . .

Apropos küssen! Er hätte schwören mögen, bei den ersten heißen Zärtlichkeiten, die sie austauschten, daß das ein unerfahrener Mund war, der sich ihm so willig bot. Oder sollte das Mädchen die Naive, die gänzlich Unerfahrene nur gemimt haben, in solcher Vollendung, mit einer so ausgekochten Raffinesse, daß er in seiner vertrauensseligen Verliebtheit blindlings darauf hereingefallen war? Dabei ist er weiß Gott kein Anfänger auf dem Gebiet, und es wäre der Gipfel der Schändlichkeit gewesen.

Ach, so geht es nicht weiter! In solch einer Gemütsverfassung kann kein Mensch autofahren, sonst landet er unweigerlich im Straßengraben oder zum bösen Ende an einem Baumstamm in der nächsten Kurve.

Er wechselt vom Gashebel auf die Bremse und bringt den Wagen zum Stehen. Die Arme fliegen, die Beine zittern, der ganze stattliche Kerl ist aus den Fugen. An diesen Schicksalstag wird er sich sein Leben lang erinnern und sollte er ein biblisches Alter erreichen.

Allen eindringlichen Indizien zum Trotz, die für eine

Schuld der Geliebten sprechen: als Hermann den letzten langen Zug aus seiner Beruhigungszigarette genommen hat, muß er sich eingestehen, er kann den gesamten dramatischen Rummel um Kinderkriegen und Mußheirat nicht glauben. Irgendwie kommt ihm das ganze idiotisch vor, einfach unmöglich, indiskutabel, da muß ein fataler Trugschluß dahinterstecken. Die alten Leutchen haben sich in eine borniert Idee verrannt, sie sind bestimmt damit auf dem Holzweg! Wenn er sich Lisa vorstellt, auf dem roten Sofa in der elterlichen Wohnstube, mit dem niedlichen Grübchen in der Wange und den braunen Unschuldsaugen ... Sie hatte damals eine gelbliche Bluse an, die sinnverwirrend knapp über der rundlichen Mädchenbrust saß und reichlich zerknauscht aus seiner stürmischen Umarmung hervorging ... ihm wird heiß und kalt noch in der Erinnerung! Gott sei Dank ist sie keines jener plattbrüstigen Weiber, wie sie eine verrückte Moderichtung gelegentlich als Idealfigur propagiert hat.

Auf jeden Fall steht eines eisern fest, er ist damals ein Idiot gewesen, sogar ein Vollidiot! Dieser Ausdruck war einst, zur Zeit seiner schlimmsten Flegeljahre, das beliebteste Schimpfwort der gesamten Jungensclique. Oftmals mag es da wutschnaubende Übertreibung gewesen sein, heute ist es die einzig zutreffende Bezeichnung für einen Mann, der soviel Torheit bewiesen hat wie seinerzeit er. Wenn man schon einmal das geliebteste Mädchen auf der Welt im Arm hält, läßt man es nicht mehr los. Es komme, was da kommen mag! Besser als die hinreißendsten und gefühlvollsten Liebesbeteuerungen auf dem Papier bleibt die direkte Aussprache von Mund zu Mund. Dann wäre jede Gefahr ausgeschaltet gewesen, daß in der Zwischenzeit ein forscher Draufgänger, zupackender als er, eine gute Gelegenheit zu seinen Gunsten hätte ausnützen können. Und er hätte nicht wie heute als dämlicher Esel das Nachsehen gehabt!

An jenem über sein Schicksal entscheidenden Oktobertag des letzten Jahres hätte er Lisas Eltern anstelle seiner mehr oder weniger verblümten Andeutung klipp und klar sagen sollen: Ich heirate Ihre Tochter! Er hätte überhaupt das Mädchen gleich mit nach Hause nehmen sollen. Der unvermeidliche Entrüstungssturm seines Vaters hätte sich auch einmal wieder gelegt angesichts der unabänderlichen Tatsache. Wäre er mit Lisa unverzüglich aufs Standesamt gegangen, so hätten später, nach vollzogener Eheschließung, alle gepanschten Weine seines Vaters und alle Tobsuchtsanfälle des ihren nichts mehr zu ändern vermacht.

Na, wie so oft kommt die nachträgliche Erkenntnis zu spät und nützt heute nichts mehr.

Nach langem fruchtlosem Sinnen schaltet Hermann wieder ein und fährt weiter, diesmal im Schneckentempo. Auf einmal hat er Zeit, unendlich viel Zeit, er bummelt gemächlich dahin und ist erst spät abends am Ziel.

„Es sind sehr viele Gäste da," begrüßt ihn der vornehme Ober devot, derselbe, der einmal Lisas Vater bediente.

Fast hätte der junge Chef geantwortet, es sei ihm egal, aber rechtzeitig besinnt er sich eines Besseren. Unweigerlich ruft ihn die Pflicht. Also steigt er hinauf in sein einsames Privatreich, hält den brummenden Schädel unter kühlfließendes Wasser und zieht sich einen schnurgeraden Scheitel. Vorschriftsmäßig in Schale, wie es sich gehört, geht er wenig später durch sein gut besuchtes Restaurant, als sei heute ein Tag gewesen wie jeder andere. Er macht hier zur Begrüßung eine kurze Verbeugung, tauscht dort einen verbindlichen Händedruck, wünscht höflich einen guten Appetit, wo es angebracht ist, und winkt zwischendurch der Bedienung, wenn er ein leeres Glas stehen sieht. Im Innern denkt er dabei, das Leben ist ein immerwährendes Theater, es geht auf und ab, manchmal ist es wunderbar und manchmal hundsmiserabel, wie eben auch auf der Bühne die dargestellten Schicksale in den einzelnen Akten verschieden sind.

Am schweren runden Stammtisch, der in einer gemütlichen Ecke des Lokals steht, ist heute anscheinend Vollversammlung, und die Wogen der angeregten Unterhaltung gehen hoch. Nicht immer ist der Kreis so groß, stets aber ist das Gespräch lebhaft, die Diskussionen sind temperamentvoll, und manche Wortgefechte enden erst spät in der Nacht. Vertreter aller möglichen Berufe finden sich von Zeit zu Zeit hier zusammen, und die Verschiedenartigkeit der Interessengebiete,

dazu auch der politischen Ansichten, befruchtet den Gedan-
kenaustausch. In vorgerückter Stunde, wenn zusätzlich ein
guter Wein die Zungen gelöst hat, künden dann oftmals dröh-
nende Lachsalven von den mehr oder weniger pikanten Poin-
ten der neuesten Witze.

Es ist außerordentlich interessant und reizt Hermann immer
wieder aufs neue, die grundverschiedenen Gesichtszüge der
einzelnen Typen so nahe beieinander zu sehen und ihre charakteristischen Merkmale zu vergleichen. Jeder hat seine
eigene besondere Art des Sprechens und des Zuhörens, die
desto stärker sich ausprägt, je verbissener eine Meinung um-
kämpft wird. Dann röten sich die Gesichter nicht nur vom
Alkohol, die Stimmen werden schärfer, die Hände sprechen
mit und helfen gestikulierend, den eigenen Standpunkt aus-
drucksvoll zu vertreten.

Ganz überraschend geht es plötzlich wie ein Schlag durch
den aufmerksamen Beobachter hindurch.

Der joviale ältere Herr dort am Stammtisch, der mit dem
kugelrunden Schädel, der rötlich angehauchten weinfrohen
Nase, den gütigen und so gescheiten Augen, ist das nicht Dr.
Kocher, der Arzt, der die Kinderklinik hat?

Er gehört nicht zu den Gästen, die sehr oft kommen und
erst recht nicht regelmäßig jede Woche, darum ist Hermann
seiner Sache nicht ganz sicher.

Aber der Ober, der alles sehende und alles hörende, der
ebenso diskrete wie neugierige Ober, der weiß natürlich wie
immer und überall genau Bescheid. Jawohl, der betreffende
Herr ist Dr. Kocher, Leiter eines eigenen Kinderheims.

Also doch! Hier vor ihm sitzt nun der Mann, ein zugleich
gescheit und gemütlich aussehender Mann, der ihn mit wenigen Worten von allen Sorgen und Skrupeln um Lisa befreien
könnte. In einer einzigen Minute wäre womöglich der folternde Zwiespalt eines langen qualvollen Tages ausgelöscht.
Aber um das zu erreichen, müßte er ihn fragen, rundheraus
und schonungslos fragen, und damit müßte er die verschämte
Angst seines liebenden und leidenden Herzens vor fremden
Ohren bloßlegen. Davor graut ihm. Welcher richtige Mann
bekennt sich schon leicht zu seinen geheimsten Gefühlen, noch

dazu, wenn er damit Schiffbruch erlitten hat. Aber es ist der einzig mögliche Ausweg, Gewißheit zu erlangen, und eigentlich muß er dem Schicksal dankbar sein, daß es ihm gnädig die günstige Gelegenheit bietet. Er darf sie sich nicht entgehen lassen.

Lange umschleicht Hermann den ahnungslosen Arzt wie ein hungriges Raubtier das ihm rettungslos verfallene Opfer. Endlich ergibt sich die Möglichkeit, auf einem freigewordenen Stuhl neben Dr. Kocher Platz zu nehmen. Vielleicht ist das an diesem Abend seine einzige Chance, er muß sie unbedingt wahrnehmen, und er tut es mit hämmernden Pulsen und unsicheren Knien. Was wird er hören?

Zunächst eröffnet er eine belanglose Unterhaltung, diese Einleitung fällt ihm nicht schwer. Er hat es inzwischen zu einer gewissen Routine gebracht in der beruflich bedingten Kunst, fließend zu sprechen und trotzdem wenig zu sagen. Endlich hält er es nicht länger aus und fragt seinen Gast ganz offen nach Lisa.

„Wenn ich nicht irre, Herr Doktor, ist eine gute Bekannte von mir seit einiger Zeit bei Ihnen, ein Fräulein Lisa Schweitzer."

Dr. Kocher weiß natürlich sofort Bescheid, um wen es sich handelt, und Hermann bekommt ein begeistertes Loblied zu hören. Wenn auch noch in der Ausbildung als Kinderschwester begriffen, so ist sie doch im Lauf der vergangenen Monate eine der beliebtesten Pflegerinnen und eine wirkliche Stütze der Kinderklinik geworden.

„Schwester Lisa möchte ich nicht mehr missen, Herr Münzer, sie hat sich für ihr Naturell den passendsten Beruf ausgesucht. Sie ist ein ausgeglichener fröhlicher Mensch, und sie hat die echt frauliche Gabe, die Kleinkinder gut unterhalten und ablenken zu können. Das ist bei kranken Kindern noch weitaus wichtiger als bei gesunden. Auch die quarrigsten Gören werden bei ihr wieder friedlich trotz der nur kurzen Zeitspanne, die sie ihnen widmen kann. Was das in meinem Haus wert ist, kann sich ein Laie kaum ausmalen. Jedoch als Pflegerin, da hat Schwester Lisa eigentlich ein zu weiches Herz. Noch heute, nach den langen Monaten, die sie nun bei uns ist, kann es vorkommen, daß ihr die dicken Tränen über die Wangen rollen, wenn ich so einem armen und total verängstigten Wurm in Ausübung meiner ärztlichen Pflicht etwas wehtun muß."

Natürlich ist das eine unangebrachte Weichheit, die man im Pflegeberuf nicht brauchen kann, er belächelt sie mit gutmütiger Nachsicht. Aber er bezeichnet Lisa trotzdem als seine beste Pflegeschülerin mit viel Verantwortungsgefühl. Alles schön und gut, Hermann schwillt das Herz vor Stolz auf das angebetete Mädchen, jedoch er rutscht unruhig auf seinem Stuhl hin und her. Er will etwas ganz anderes erfahren, eben das im Augenblick Wichtigste, das einzig für ihn Ausschlaggebende. Wie fängt er das nur an?

Schon macht Dr. Kocher in seiner Ahnungslosigkeit Miene, sich wieder seinen Stammtischfreunden zuzuwenden. Das darf unter keinen Umständen geschehen, denn dann bestünde vorerst keine Möglichkeit mehr zu einer persönlichen Frage. Der richtige Moment wäre rettungslos verpaßt.

Getrieben von seiner Angst, die Pause in seinem Zwiegespräch könne von einem Dritten unterbrochen werden, gibt Hermann sich zum zweiten Mal einen energischen Ruck. Es muß nun einmal sein, und so fragt er sehr schnell, wie er sich einbildet durchaus nebenbei und halbwegs uninteressiert:

„Und ... wie geht es dem Kleinen von Schwester Lisa?"

Maßlos verblüfft zieht der Gefragte die hohe Stirn in unwillige Querfalten.

„Dem Kleinen von Schwester Lisa?" wiederholt er dann gedehnt und verständnislos. „Wie meinen Sie das?"

Aus seinen Worten spricht ein einziges Staunen.

Nur mit äußerster Anstrengung vermag Hermann weiter zu reden. Er gerät verzweifelt ins Stottern, er fühlt sich hilflos in der Klemme, er ist in eine Sackgasse gerannt und findet keinen Ausweg.

„Ich dachte mir ... ich glaubte, Schwester Lisa sei zu Ihnen gegangen ... in Ihre Klinik, weil sie ein Kind erwartete ..."

So, jetzt ist es heraus!

Als Dr. Kocher der vermeintliche Sachverhalt vollends klar

wird, bricht er zunächst amüsiert in ein dröhnendes Gelächter aus. Zu Hermanns peinlichem Entsetzen wird dadurch die gesamte Tafelrunde aufgeschreckt und auf ihr leises Gespräch aufmerksam. Jeder will natürlich den besonders guten Witz wissen, der da soeben bestimmt gerissen wurde, und es dauert einige Zeit, bis wieder allgemeine Beruhigung eingetreten ist. Dann aber wird Hermann eine Auskunft zuteil, die seinen Pulsschlag vor lauter Freude zur äußersten Raserei antreibt.

„Nein," belehrt ihn Dr .Kocher noch immer überaus vergnügt, „da sind Sie sehr gründlich auf dem Holzweg. Ich habe keine Entbindungsanstalt, bei uns bekommt man keine Kinder. Bei uns pflegt man sie nur wieder gesund, wenn sie krank geworden sind. Im übrigen . . .," seine Züge werden unvermittelt wieder ernst, „ich halte das junge Mädchen durchaus nicht für leichtsinnig."

„Ich auch nicht, aber keinesfalls," beeilt sich Hermann ihm zuzustimmen und fährt dann sehr kleinlaut fort: „Es muß sich um ein Mißverständnis handeln."

„Das scheint mir auch so."

Der erfahrene Menschenkenner lächelt etwas hintergründig. Sieh an, anscheinend kleiner Krach unter Liebesleuten! Ist da vielleicht ein Dritter mit im Spiel? So was soll schon mal vorgekommen sein! Aber da kommt gerade der Gast zurück, dessen Stuhl Hermann während des schwerwiegenden Gesprächs innehatte. So kann er zu seiner Erleichterung ohne weiteren Kommentar entfliehen, der für ihn bestimmt noch peinlicher und beschämender sein würde. Er gibt seinen Interimsplatz höflich wieder frei und reicht seinem Retter aus aller Herzensnot abschiednehmend die Hand. Sein Inneres quillt über vor Seligkeit, er fühlt sich jung und frei und schwerelos, dem Leben und der Freude wiedergeschenkt. Die ungeheure Last der peinigenden Ungewißheit ist von ihm abgefallen, er hatte ja sowieso nie richtig an den ganzen Blödsinn geglaubt.

Am liebsten möchte er jetzt gleich zu Lisa hinrennen, um sich mit ihr auszusprechen und ihr seine beleidigenden Zweifel abzubitten, aber Mitternacht ist längst vorbei und um diese

Zeit ist in keinem Krankenhaus der Welt Besuchsstunde. Er muß warten.

Das ist leichter gesagt als getan!

Die Nacht ist endlos lang, an Schlaf ist nicht zu denken, überflüssig also, überhaupt erst ins Bett zu gehen. Jede einzelne Viertelstunde dünkt Hermanns Sehnsucht eine kleine Ewigkeit für sich. Was soll er nur anstellen, damit die Zeit schneller vergeht?

Er kramt und sucht in seinen Schubladen herum, ohne zu wissen wonach. Er reißt die Schranktür auf und inspiziert die beachtliche Reihe seiner Schlipse. Ob ihr wohl der neueste getupfte auch so gut gefällt oder zieht sie womöglich gestreifte Binder vor? Er wirft einen Blick auf seine Armbanduhr und der Menschheit ganzer Jammer bricht über ihn herein. Großer Gott, kaum drei Uhr! Nimmt denn diese fürchterliche Nacht niemals ein Ende?

Wie er da ist, vollkommen angezogen mitsamt den Schuhen, wirft er sich schließlich auf sein Bett und träumt von der gemeinsamen Zukunft, von einer unerhört glücklichen Zukunft. Also Lisa wird dann seine Frau sein, ein beseligender Gedanke! Er ist ihrer wieder ganz sicher, der vermeintliche Nebenbuhler war nur ein Hirngespinst seiner überreizten Phantasie, jetzt vermag kein Schimmer von Eifersucht ihn mehr zu quälen. Weiß der Kuckuck, wie die törichte Legende von der angeblichen Schwangerschaft überhaupt entstehen konnte. Er möchte sich am liebsten ohrfeigen, auch nur eine Minute lang an das Schauermärchen geglaubt zu haben und davon irritiert worden zu sein.

Aber wie manches wird sich in der Ehe für ihn ändern! Alter Junge, mit den Schuhen wirst du dann auch nicht mehr ins Bett gehen dürfen! Solche unfeinen Junggesellenallüren müssen selbstverständlich bei einem seriösen Ehemann aufhören.

Sieht es jetzt nicht so aus, als zeige sich ein erster silbergrauer Schimmer des heraufdämmernden Tages? Er begrüßt ihn wie eine Erlösung aus dunkler Kerkernacht. An den Fingern zählt er ab, wie lange er anstandshalber mit seinem Besuch in der Klinik noch warten muß. Mindestens noch weitere sechs Stunden, eine kaum zu überbietende Folter für seine liebende Ungeduld. Jedoch das Schicksal meint es gut mit ihm, der übermüdete Körper verlangt sein Recht. Ohne es zu merken, und ohne es eigentlich zu wollen, sinkt er in tiefen Schlaf, aus dem ihn erst ein kräftiges Klopfen an der Tür weckt.

„Das Frühstück steht auf dem Tisch", meldet Elli, das hübsche Hausmädchen, das gestern vormittag als erste die Babybescherung in seinem Wohnzimmer entdeckte und sie dann später, nach der eingehenden Besichtigung durch das gesamte Personal, sehr ordentlich Stück für Stück in den vorsintflutlichen Reisekorb zurückverfrachtete. Der junge Chef fand bei seiner Rückkehr ein piksauber aufgeräumtes Zimmer vor.

Aufgeschreckt fährt Hermann in die Höhe und entdeckt erstaunt, daß er in voller Montur im Bett liegt. Wieso denn das? War er denn blau?

Dann fällt ihm alles wieder ein, und er vermag kaum zu glauben, daß er seinem inneren Aufruhr zum Trotz wirklich fest hat schlafen können.

Als er seine Morgentoilette beendet und stehend zwei Tassen Kaffee hinuntergegossen hat, ist der barmherzige Uhrzeiger endlich soweit vorgeschritten, daß er es wagen kann, in die Klinik von Dr. Kocher zu fahren. Beim Aussteigen, er kann nicht anders, muß er einmal liebevoll über das gelbe Blech seines getreuen Autochens streichen, das noch den grauen Staub der Moselstraßen auf sich trägt.

„Von nun an werden wir wieder glücklichere Fahrten zusammen machen," verspricht er seinem kleinen Wagen optimistisch.

Dann steht er in freudiger Zuversicht an der Pforte des langgestreckten stattlichen Hauses der Kinderklinik, in welcher ihm, wie er nun ganz gewiß hofft, diesmal endgültig sein Lebensglück erblühen wird.

Mit vorsichtigen Schritten, sehr beeindruckt von der blendenden Helle der geräumigen Vorhalle, tritt er ein, so leise als möglich. Dies hier ist ein unbekanntes und ein wenig aufregendes Terrain für einen jungen Mann, er möchte nicht unangenehm auffallen und erst recht nicht kranke Kinder durch unnötige Geräusche erschrecken.

Mit gedämpfter Stimme erbittet er Auskunft.

Er wird eine Treppe hinaufgeschickt und oben in einen mit Blumen geschmückten Warteraum gewiesen, dessen beide weitgeöffnete Fenster den Blick freigeben in einen großen gepflegten Park. Und was Hermann da zu sehen bekommt, läßt sein erwartungsvolles Herz fast zerspringen vor freudiger Spannung.

Auf dem grünen Rasen tummeln sich ungefähr zehn Kleinkinder im Alter von zwei bis drei Jahren. Da das Wetter es noch erlaubt, stecken die rosigen Körperchen in leichten Spielanzügen, damit Licht und Luft ungehindert ihre heilende Wirkung ausüben können. Die kleinen Füße stapfen voll Lust durch das kühle Gras, und ab und zu bückt sich ein aufjauchzendes Kind, um mit ungeschicktem Patschhändchen ein eben entdecktes schüchternes Blümchen abzupflücken.

Inmitten dieser fröhlichen Schar winziger Rekonvaleszenten steht eine junge Pflegerin, im schlichten Schwesternkleid mit großer weißer Schürze. Sehr schlank, sehr biegsam ist der mädchenhafte Körper, wenn sie sich hinunterbeugt, liebevoll besorgt einen ihrer hingepurzelten Pflegebefohlenen wieder aufzuheben. Das kleine gestärkte Häubchen umrahmt krauslockiges blondes Haar, unter der hellen Stirn schimmern warme braune Augen. Es ist Lisa!

Sie kommt gar nicht dazu, einmal nach oben zu schauen, wo sie den heimlichen Späher am Fenster leicht entdecken könnte, sie darf ihre Kinderschar keinen Moment aus den Augen lassen. Energisch klatscht sie in die Hände und ordnet das quirlende Durcheinander um sich herum zu einem Kreis, so gut es eben gehen will. Dann beginnen die lustigen Menschlein da unten zum rhythmischen Taktschlag ihrer Wärterin über den Rasen zu hüpfen, am Anfang sittsam und wohlgeordnet. Bald jedoch wälzen sich die bunten Farbtupfen der niedlichen Leibchen und Höschen übermütig im Grünen.

Von irgendwoher tönt der leise Klang einer Glocke. Lisa sammelt ihre tollenden Schäflein und stellt sie trotz weinerlicher Mäulchen zu zwei und zwei in einer Reihe auf. Sie müssen sich an den Händchen fassen und ruhig und leise ins Haus zurückgehen. Die fröhliche Spielpause ist zu Ende, die notwendige Bettruhe schließt sich an.

Hermann ist blind und taub für seine nächste Umgebung, all' seine Sinne konzentrieren sich auf das liebliche Bild des ersehnten Mädchens.

„Eigene Kinder werden ihr auch einmal gut stehen," sagt unvermittelt ein bekanntes sonores Organ dicht hinter seinem Rücken.

Betroffen fährt er herum und blickt geradewegs Dr. Kocher in das schmunzelnde Gesicht. Seine verliebte Versunkenheit hatte dem Hausherrn das unbemerkte Eintreten und auch das stillvergnügte Beobachten ermöglicht.

Lachend streckt der Arzt dem unerwarteten Besucher zur Begrüßung die Rechte entgegen.

„Es sieht mir ganz so aus, als wollten Sie gern der Vater dieser zukünftigen Kinder werden."

„Ihr Scharfsinn täuscht Sie nicht, Herr Dr. Kocher, es stimmt genau!"

Mit einem freimütigen Aufatmen erwidert der Besucher voll impulsiver Freude den männlichen Händedruck.

„Drei Jungen und drei Mädchen will ich haben," bekennt er ohne Scheu. „Immer abwechselnd."

Dr. Kocher lacht über das ganze runde Gesicht.

„Wenn Sie diese Zukunftspläne realisieren wollen, junger Mann, müssen Sie Ihre Ungeduld noch etwas zügeln. Die sichere Bestimmung des Geschlechts bei der Zeugung ist erst im Anmarsch."

Des hoffnungsvollen zukünftigen Vaters Gesichtsausdruck bekundet eindeutiges Mißfallen. Er ist ganz offensichtlich keineswegs gesonnen, die endgültigen Ergebnisse der wissenschaftlichen Forschungen auf diesem Gebiet abzuwarten.

„Ich habe mir gestern abend schon halbwegs etwas ähnliches gedacht, nur hatte ich Sie nicht ganz so prompt erwartet. Eigentlich, Herr Münzer, sollte ich Sie umgehend hinauswerfen lassen, denn Sie wollen mir eine meiner besten Hilfen entführen."

„Ich nehme sie gleich mit," prophezeit Hermann sieges-gewiß.

Entsetzt wehrt Dr. Kocher solchen Übereifer ab.

„Nee, nee, junger Mann, da habe ich denn doch ein Wört-chen mitzureden! Aber damit Sie sehen, daß ich kein Un-mensch bin und mir Verständnis für jugendliches Ungestüm bewahrt habe, gebe ich dem Mädel für eine kurze Zeit-spanne frei. Solange werden wir es einmal ohne sie schaffen können, und bei Ihnen scheint mir eine kleine Aussprache fällig zu sein. Das stimmt doch? Gestern abend hatte ich we-nigstens den Eindruck."

Er beugt sich weit aus dem Fenster hinaus.

„Schwester Lisa!"

„Ja, Herr Doktor?"

Lisa ist gerade im Begriff, hinter ihren Schützlingen her das Haus zu betreten.

Auf den Anruf hin geht sie wieder einige Schritte zurück, um besser hinaufschauen zu können.

Hermann hat eben noch Zeit, vom offenen Fenster zu ver-schwinden.

„Kommen Sie gleich einmal zu mir herauf, hierher in das Wartezimmer."

„Sowie ich die Kinder versorgt habe, Herr Doktor."

Eilig verschwindet sie in der Haustür.

„Na, wie habe ich das gemacht?" wendet sich der men-schenfreundliche Chef des Hauses an den wartenden Besucher zurück, das verdiente Lob fordernd.

„Großartig, Herr Doktor! Ich danke Ihnen von ganzem Herzen."

Hermann zerquetscht seinem hochherzigen Wohltäter fast die Hand vor überquellender Seligkeit. Der schaut ihn eine kleine Weile nachdenklich an und sagt dann ernst:

„Nehmen Sie von einem alten und erfahrenen Mann einen guten Rat an, Sie jugendlicher Draufgänger! Zu jeder echten Zuneigung, zu jeder guten Ehe, die ein Leben lang halten sollen, gehört ein gewisses Maß von Toleranz, denn wir Menschen haben ja alle unsere Fehler, die der Partner akzep-tieren muß . . ."

Man hört Lisas leichten Schritt draußen auf dem Flur widerhallen.

Dr. Kocher winkt Hermann abschiednehmend zu und geht hinaus.

Durch die angelehnte Tür kann man ihn sprechen hören.

„Schwester Lisa, Sie sind ab sofort für zwei Stunden beurlaubt, wenn Sie mir in die Hand hinein versprechen, pünktlich wieder hier zu sein. Ich kenne Sie als zuverlässig, ich verlasse mich auf Sie. Nicht später bitte, sonst sitzen wir mit einem Haufen heulender Kinder da, die ohne Sie nicht zufrieden sind. Abgemacht!"

Aus Lisas Antwort klingt das große Staunen über die unerwartete, weil nicht erbetene Freizeit.

„Selbstverständlich verspreche ich Ihnen gern, pünktlich zurück zu sein, Herr Doktor, aber ich verstehe nicht . . ."

Dem stillen Lauscher drinnen im Zimmer strömt alles Blut heiß zum Herzen beim langentbehrten Klang der geliebten Stimme.

„Sie werden mich gleich verstehen", sagt Dr. Kocher noch, und sein sehr männlich tiefes Organ hat jetzt einen väterlich wohlwollenden Tonfall. Dann öffnet er die angelehnte Tür und Lisa wird in ihren Rahmen hineingeschoben.

Eine Sekunde lang suchen die braunen Augen neugierig durch den hellen Raum, dann bleiben sie fassungslos an zwei blauen Augen haften und weiten sich in ungläubigem Staunen. Sie werden groß und strahlend, und es bricht aus ihnen ein solch unverhülltes Glück, daß Hermann nur die Arme auszubreiten vermag.

Aber Lisa stürzt sich nicht hinein, o nein. Sie schüttelt abwehrend den blonden Kopf und lehnt sich, blaß geworden von der maßlosen Überraschung, mit geschlossenen Augen an die nächste Wand.

Langsam, mit äußerster Vorsicht, nur Schritt für Schritt, geht Hermann auf sie zu.

„Lisa, endlich habe ich dich gefunden!"

Ganz behutsam nimmt er ihre kleine Hand in seine beiden großen und führt sie an seine Lippen. Er legt den Arm

156

um den bebenden Mädchenkörper und zieht ihn an sich, zart und unendlich liebevoll.

Lisa spürt die Innigkeit, die Zuneigung, die sich hinter den liebevollen Zärtlichkeiten verbergen, und sie bricht unversehens in Tränen aus. Aller Kummer und alle Sorgen, alle Einsamkeit und alle Sehnsucht der hinter ihr liegenden langen Monate beginnen mit dem hemmungslosen Tränenstrom langsam zu zerrinnen.

Es dauert lange, bis sie sich einigermaßen beruhigen kann, und Hermann hütet sich einzugreifen. Er läßt den heftigen Aufruhr ihrer Gefühle abebben, bis sie von selbst den verwirrten Kopf von seiner Schulter hebt. Sie lächelt ihn mit nassen Augen selig an, während noch die letzten dicken Tropfen zu beiden Seiten der lustigen Stupsnase entlanglaufen. Das Schwesternhäubchen hat inzwischen eigenmächtig seinen Sitz schräg über das rechte Ohr verlegt.

„Dr. Kocher hat dir extra für mich Urlaub gegeben, der Wagen steht vor der Tür."

„Ach so ist das . . ."

Lisa handhabt ihr winziges Taschentuch, dann bricht als erstes echt weibliche Neugier bei ihr durch.

„Woher weißt du überhaupt, daß ich hier bin?"

Sie gehen schon auf dem luftigen, mit dekorativen Blattpflanzen bestandenen Flur langsam dem Ausgang zu.

„Ich weiß es durch die Patin," zieht sich Hermann diplomatisch aus der Affäre. Daß er sein Wissen nur indirekt und äußerst ungewollt von der alten Frau erhielt, das zu erwähnen findet er im Moment ganz und gar unwichtig. Diese leidige Episode zu erzählen ist später noch genügend Zeit, jetzt gibt es Dringenderes zu besprechen.

Überwältigt bleibt Lisa auf der Stelle stehen und starrt ihn ungläubig an.

„Durch die Patin? Sag das noch einmal! Das ist doch wohl nicht gut möglich . . . Woher kennst du sie denn?"

„Du verlangst zuviel auf einmal zu wissen, Lisa. Zu Hause erfährst du alles, was sich inzwischen ereignet hat, für jetzt ist es eine zu lange Geschichte. Bitte komm weiter, mein gelbes Auto wartet schon auf dich."

Er schiebt seinen Arm unter den ihren und dirigiert sie mit sanfter Gewalt auf die Straße und in den Wagen hinein. In ihr ist, aller Wonne über das Wiedersehen zum Trotz, immer noch ein leises Widerstreben, das er mit der gesteigerten Feinfühligkeit des Liebenden genau herausspürt.

Während der kurzen Fahrt schaut Lisa mit ernstem Gesicht geradeaus, es herrscht Schweigen zwischen ihnen. Ein paar wehende Löckchen haben sich unter der weißen Haube hervorgestohlen und treiben ihr loses Spiel im lauen Wind.

Auch zu Hause verweigert sie Hermann mit demselben halb wehmütigen, halb schmollenden Kopfschütteln wie vorher ihren Mund. Er dringt nicht weiter in sie, er erkennt, daß sie noch leidet. Sie muß sich zunächst zurechtfinden und von der aufwühlenden und so überraschenden Begegnung erholen. Aber sie duldet es immerhin, daß er der vor ihm Sitzenden behutsam das Häubchen abnimmt und dann die widerspenstigen Haare nach hinten streicht, wieder und immer wieder, auch als sie sich längst gutwillig gelegt haben.

„Hermann . . ."

Sofort unterbricht er sein zärtliches Spiel und erwartet gespannt das weitere, das nun endlich alle Verwirrung der jüngsten Vergangenheit aufklären soll.

„War das nötig, Hermann?" fragt Lisa schließlich vorwurfsvoll. „Mußte das sein? Und warum?"

„Mußte was sein, Lisa? Was meinst du damit?"

Er setzt sich ihr gegenüber und hält ihre Hände mit warmem Druck fest. Sie blickt ihn ernst und grübelnd an und versucht, in seinen Augen zu lesen, die frei und offen ihrem eindringlichen Forschen standhalten. Sie rätselt sichtlich an Unverständlichem herum und hat sich spürbar von ihm distanziert.

„Was meinst du denn?" fragt er noch einmal mit mühsam vorgetäuschter Ruhe.

„Ich meine die Zeit, die hinter uns liegt . . . die lange Trennung . . ."

Er verbirgt meisterschaft sein Erstaunen.

„Trage ich allein die Schuld daran?" erkundigt er sich dann leise.

„Wer sonst?"

Die eben noch fragenden Augen sprühen Funken von einer Sekunde zur andern und lodern ihn entrüstet an. Das ist genau das temperamentgeladene Mädchen wieder, in das er sich an der Mosel Hals über Kopf rettungslos vernarrt hatte.

„Ich habe so lange gewartet . . ."

„Worauf, Lisa?"

Voller Empörung bricht jetzt alles aus ihr heraus. Es ist wie die Eruption eines Zwergvulkans, und zum zweiten Mal hütet sich der Mann, den befreienden Ausbruch zu unterbrechen.

„Worauf? Na höre mal, welche Frage! Auf Antwort natürlich! Alles hatte ich dir geschrieben, so ausführlich wie möglich. Daß mein Vater ohne mein Wissen zu euch gefahren war, daß er dich mitschuldig glaubte an der Weinpanscherei, daß ich nicht dich heiraten, sondern irgendeinen gräßlichen Geschäftspartner nehmen sollte, daß ich deinetwegen von zu Hause fortgehen mußte . . . und du hast nicht einmal geantwortet! Ich saß bei der Patin und war so unglücklich wie nie und wartete von einem Tag auf den andern . . ."

Von erneutem wildem Schluchzen geschüttelt, kann sie nicht weitersprechen. Sie erleidet noch einmal alle Qualen des vergeblichen Hoffens und Harrens, sie hatte dem geliebten Mann so felsenfest vertraut.

„Weil ich deinen Brief nie bekam", erklärt Hermann das Unbegreifliche endlich halblaut, seinerseits aufgewühlt von dem unheilvollen Spiel des Schicksals. „Ich nehme an, mein Vater hat ihn damals verschwinden lassen, um uns zu trennen."

Verstört hebt Lisa den Blick, an diese Möglichkeit hatte sie nie gedacht. Aus seinen ernsten Augen liest sie die Wahrheit seiner Worte. Er faßt in die linke Brusttasche, entnimmt ihr einen verschlossenen Umschlag und legt ihn ihr in den Schoß.

„Hier, Lisa, lies das! Bis gestern lag dieser Brief bei deinen Eltern in der Schreibtischschublade. Auch ich habe einmal sehr lange vergeblich auf Antwort gewartet, vermutlich genau so sehnsüchtig wie du. Unsere Väter hatten fürs erste ihr Ziel erreicht."

Damit geht er hinaus und läßt sie allein. Er muß ihr genügend Zeit geben, seinen damaligen Bericht zu lesen und danach in voller Erkenntnis aller tatsächlichen Umstände ihre Fassung wiederzugewinnen.

Erstaunt nimmt Lisa den verschlossenen Umschlag auf, sie kennt das Briefpapier nur zu genau. Von dieser Sorte hatte sie fast täglich ein Schreiben bekommen, damals, als sie noch unerschütterlich an ihr Lebensglück glaubte. Sie liest auf der Vorderseite ihre eigene Anschrift in der Heimat, der Poststempel zeigt das Datum des dreißigsten November vom vergangenen Jahr. Das ist ja . . .

Überwältigt beginnt ihr Herz einen rasenden Trommelwirbel zu hämmern. Die Hände, die nun eilig den Umschlag aufzureißen beginnen, sind ungeschickt und flattern vor Aufregung.

Nach wohlabgewogenen Minuten geduldigen Wartens wagt Hermann sich vorsichtig wieder ins Zimmer und fühlt im gleichen Moment seinen Hals umschlungen. Ein in einem Atemzug lachendes und weinendes Etwas schmiegt sich in zärtlicher Hingabe an seine Brust und preßt die tränenfeuchte Nase an seine heiße Wange. Beide Arme schließt er nunmehr überglücklich um die Mädchengestalt. Diesmal wird ihm keine Macht der Welt mehr die Geliebte entreißen können.

Die Versöhnung ist vollkommen. Es ergibt sich annähernd das gleiche Bild wie lange Monate vorher in der Schweitzer'schen Wohnstube. Auf dem Klubsofa sitzt engumschlungen ein seliges junges Paar, das sich als Entschädigung für die von einer böswilligen Vorsehung aufgezwungene Enthaltsamkeit zuerst einmal sattküssen muß. Nur daß diesmal das bequeme und kuschelige Möbelstück nicht mit altmodischem rotem Plüsch überzogen ist, sondern mit einem hellbraunen Stoff von modernem Reliefmuster. Außerdem ist zum krassen Unterschied von damals jetzt nicht von Trennung und Abschied die Rede, sondern ganz im Gegenteil von unwiderruflich ewigem Zusammenbleiben.

„Eigentlich . . ."

In einer dringend notwendig gewordenen Atempause hält Hermann mit beiden Händen den geliebten Lockenkopf auf

Armeslänge von sich, um jeden einzelnen Gesichtszug eingehender studieren zu können.

„Eigentlich, mein süßer Liebling, gehörte dir jetzt eine handfeste Tracht Prügel!"

Lisa fällt abgrundtief aus allen Himmeln ihrer Seligkeit auf die Erde zurück, aber eingeschüchtert ist sie keine Spur. Die blonde Mähne reizvoll zerzaust von seinem liebenden Ungestüm, blitzt sie ihn angriffslustig an, bereit, sich mit der gewohnten Energie ihrer Haut zu wehren.

„Prügel mir? Wieso denn, bitte? Da bin ich aber sehr gespannt."

„Na," überlegt er gemütlich, „für Dickköpfigkeit, Ausreißen und Schwindeln."

Mit einer solch langen Liste von Anschuldigungen ist die Angeklagte nicht ohne weiteres einverstanden.

„Zu jeder Behauptung gehört ein Beweis, hat mir im vergangenen Herbst ein junger Mann von seiner übriggebliebenen Schulweisheit beigebracht. Erinnerst du dich noch bei welcher Gelegenheit, oder soll ich freundlich ein wenig nachhelfen?"

„Nicht nötig, ich erinnere mich gut."

„Also dann schieß los, ich bin bereit zu hören."

„Du sollst deine Beweise haben. Greifen wir uns zunächst einmal das Schwindeln heraus. Welche junge Dame hat der Patin vorgelogen, sie sei von zu Hause verstoßen worden, weil sie sich geweigert habe, einen ungeliebten Freier zu heiraten? Kennst du vielleicht die junge Dame und stimmt das alles haargenau?"

Ein Seufzer aus tiefster Seele entringt sich Lisas Brust.

„Die gute Tante Maria . . ."

„Gut?! Ich weiß nicht, ob das gerade das richtige Eigenschaftswort für sie ist . . ."

Hermann zweifelt sehr stark. Schließlich hat er mit der Intensität der verwandtschaftlichen Güte seine Erfahrungen gemacht, sie waren durchaus unerfreulicher Natur.

„Jawohl gut!" verteidigt indessen Lisa ihre Tante. „Wer die Natur so sehr liebt wie sie, muß einfach ein guter Mensch sein. Du glaubst nicht, wie sie sich im Frühjahr über eine aufbrechende Knospe freuen kann."

„Mag sein, ihr blühender Vorgarten spricht auch für diese Naturliebe. Trotzdem ... ihre Reaktion auf unseren Besuch ... ich war mit deinem Vater dort ..."

„Das erklärt alles! Sie haßt meinen Vater, weil er meiner Mutter ein so schweres Leben bereitet hat. Sie möchte ihm am liebsten die Augen auskratzen und er ihr dafür den Hals umdrehen, so sind ihre verwandtschaftlichen Gefühle für einander. Jetzt im Alter ist sie hoffnungslos verschroben geworden. Daran ist zum Teil ihre völlige Vereinsamung schuld, sie ist eine herbe Natur, die sich von jeher schwer an andere Menschen anschließen konnte. Und heute lehnt sie das ganze männliche Geschlecht en gros und en detail unwiderruflich ab. Darum, siehst du ... daß ich einen ungeliebten Mann n i c h t nehmen wollte, das hatte sie gleich kapiert. Aber ihr klarmachen, daß man einen ganz bestimmten Mann liebt, so sehr, daß man ihn unbedingt haben will, nur ihn und auf gar keinen Fall einen andern, das könnte man nicht. Dafür brächte sie einfach kein Verständnis auf, wenigstens jetzt nicht mehr. Früher natürlich ja, in ihrer eigenen Jugend."

„Du bist ein gescheites Mädchen," lobt Hermann die kluge Nichte wegen des erfolgreich bewiesenen diplomatischen Geschicks, „oder vielmehr, besser gesagt, ein ganz durchtriebener Racker!"

Aus der angedrohten handfesten Tracht Prügel wird ein sehr langer und sehr inniger Kuß, aber kann ein liebender Mann anders, wenn ihm sein Mädchen gesteht, es will ihn und nur ihn allein von den vielen Männern auf der ganzen weiten Welt?

Aber allmählich kommt Hermann zur Besinnung. Hatte er sich nicht felsenfest vorgenommen, Lisa in aller Liebe und Güte, aber überaus gründlich die Meinung zu sagen, wie sie es verdient? Und unerbittlich Auskunft zu verlangen über alle mysteriösen Umstände ihrer möglicherweise vorschnellen Flucht aus dem Elternhaus?

Er will und muß volle Klarheit haben über alles, und zwar sofort. Er liebt keine undurchsichtigen Verhältnisse um sich herum, schon gar nicht in seinen allerpersönlichsten Angelegenheiten. Außerdem warten daheim an der Mosel zwei gramgebeugte alte Leute in Ungeduld und Sorge auf den erlösenden Anruf.

„Lisa, sag mal, war es wirklich unbedingt nötig, daß du damals von zu Hause weggingst? Und wenn das schon sein mußte, daß du dann niemals von dir hören ließest?"

Neben aller Wärme in seiner Stimme ist doch der berechtigte Vorwurf unverkennbar.

Lisa senkt schuldbewußt und voller Scham die braunen Augen.

„Aus dem Hause mußte ich an jenem Tag, das steht fest. Du kennst meinen Vater im Jähzorn nicht. Er könnte in sinnloser Raserei Möbel zertrümmern oder irgendein Unglück anrichten. Es ist dann unmöglich, zu Wort zu kommen und ihm sachlich in Ruhe etwas zu erklären oder gar ihn zu beschwichtigen. Er ist der typische Choleriker ..."

„Das kann ich zwar nicht ganz verstehen, aber du mußt deinen Vater ja kennen. Vielleicht war es im Augenblick für dich wirklich das Richtigste, das Feld zu räumen. Nur ... warum hast du später nicht geschrieben, in all' den Monaten?"

Der demütig geneigte Mädchenkopf senkt sich noch tiefer als zuvor.

„Meiner Mutter hätte ich gern Nachricht gegeben, um ihr den Kummer zu ersparen, aber dann hätte sie es ihm doch gleich gesagt, denn er ist der Pascha und sie seine Sklavin. Oder er hätte ihr angemerkt, daß sie etwas weiß; sie kann sich nicht verstellen, dazu ist sie zu offen und ehrlich. Ihm habe ich die Ungewißheit und auch seine Gewissensbisse gegönnt, er hatte sie sich redlich verdient. Wenn er damals gerecht gewesen wäre und meine Bitte erfüllt hätte, die unglückliche Angelegenheit mit dem gepanschten Wein objektiv nachprüfen zu lassen, ich wäre niemals aus dem Haus gegangen. Aber er ist ein Tyrann, der nur kommandiert. Nicht auszudenken, wozu eine Befehlsverweigerung führen könnte!"

„Mir scheint, sein einziges Kind hat ein gut Teil des berüchtigten Starrsinns seines Erzeugers mitbekommen," sagt Hermann liebevoll neckend, aber Lisa ist jetzt nicht zum

Scherzen aufgelegt und noch nicht am Schluß ihrer Rechtfertigung angelangt.

„Damit, daß unsere Eltern uns in die Welt setzen, haben
sie noch nicht das Recht, zeitlebens über uns zu bestimmen.
Zu denen, die sich dieses Recht aber anmaßen, gehört mein
Vater. Jedoch bitte, ohne mich! Für gute Ratschläge oder eine
vernünftige Aussprache werde ich immer zu haben sein. Ich
bin mir bewußt, noch keine Lebenserfahrung zu besitzen, aber
despotische Verbote und den kategorischen Imperativ lehne
ich ab. Wie konnte er mir verbieten, dich zu heiraten? Muß
i c h mein ganzes Leben mit meinem Ehemann verbringen
oder er? Also suche ich mir meinen Partner selbst aus, ihm
braucht er gar nicht zu gefallen . . ."

„Und deine arme Mutter war in den langen Monaten doppelt belastet, von der Angst um ihr einziges Kind und von
der schwierigen Gemütsverfassung deines Vaters, den wohl
sein schlechtes Gewissen zwickte."

„Zum Kuckuck, sie soll auch mal auf den Tisch hauen und
dagegen brüllen, wenn er loslegt. Vielleicht hätte es ihm gelegentlich die Sprache verschlagen, das wäre heilsam für ihn gewesen. Sie arbeitet unermüdlich vom frühen Morgen bis zum
späten Abend, viel mehr als er, denn er tut oft nur so. Bei
seinem ständigen Herumtoben ist viel Leerlauf dabei. Sie
hat während ihrer ganzen Ehe geschuftet, und ihre einzige
Abwechslung war das Theater, das er ihr machte, wenn er
berauscht nach Hause kam. Sie hat seine Unduldsamkeit noch
gezüchtet und ihm immer nachgegeben, niemals widerspro-
chen, niemals ihre eigene Meinung geäußert, auch wenn sie
zehnmal im Recht war und es wußte. Sie hätte mir an jenem
bösen Tag beistehen und wenigstens versuchen sollen, meinen
Hinauswurf zu verhindern. Aber nein, nicht ein Wort gegen
die Ungerechtigkeit meines Vaters und nicht ein Wort der
Hilfe für mich, trotzdem es ihr bestimmt fast das Herz ab-
gedrückt hat. Was ist das für eine Ehe, die nur aus beben-
der Angst vor dem Mann besteht! Also, ich warne dich hier-
mit: ich bin nicht so lammfromm wie meine Mutter, und eine
sanfte Dulderin bin ich schon gar nicht!"

„Scheint mir auch so," murmelt Hermann leicht angeschlagen von der impulsiven Suada, dabei ist Lisa noch keineswegs am Ende ihrer verheißungsvollen Prophezeiungen.

„Und wenn du mir einmal mit einem Bombenrausch nach Hause kommst, kriegst du einen Eimer eiskaltes Wasser auf deinen Brummschädel gegossen, damit du schneller wieder nüchtern wirst."

„Da steht mir ja allerhand bevor in meiner Ehe!"

Er wußte es ja, in dem Mädel steckt ein unbändiges Temperament. Bei aller Liebe würden sie sich erst einmal zusammenraufen müssen, aber langweilig würde die Ehe mit Lisa bestimmt niemals werden.

„Ich habe alles zur Kenntnis genommen, mein Liebling, und ich bin bereit, wie ein Mann die Konsequenzen auf mich zu nehmen. Jedoch Scherz beiseite, so leid es mir tut, ganz kann ich dir den Vorwurf nicht ersparen, mit deinem Dickkopf zu weit gegangen zu sein."

„Wie doch die Ansichten verschieden sind! Manche Leute nennen es Charakterstärke, wenn man auf einem eingenommenen Standpunkt beharrt. Du nennst es Dickköpfigkeit. Bitte, dann bin ich eben dickköpfig! Auch das geht letzten Endes auf das Konto meines Vaters. Aber wie ist das überhaupt, willst du wirklich ein solch erblich belastetes, dickköpfiges Geschöpf wie mich heiraten?"

Halb schelmisch, halb trotzig schielt Lisa von unten herauf ihren gestrengen Richter an.

„Ich denke, du mußt!"

Wie ein Schraubstock umklammert Hermann unerwartet ihre schmalen Handgelenke mit eisernem Druck.

„Lisa, jetzt heraus mit der Sprache! Sag mir die Wahrheit, aber bitte ohne jede falsche Rücksicht die volle Wahrheit! Warum hast du deinen Eltern seinerzeit vorgeschwindelt, du bekämst ein Kind?"

Nie in den drei Jahrzehnten seines bisherigen Lebens hat Hermann ein verblüffteres Gesicht zu sehen bekommen.

„I c h ? Ein Kind kriegen? Aber das habe ich doch niemals gesagt, mit keiner Silbe ... Wie käme ich auch dazu? Ich habe doch keins ..."

Verzweifelt fährt sich der geplagte Mann mit beiden Händen durch den dichten Schopf. Es ist tatsächlich nicht zu begreifen, wie dieser schwerwiegende Trugschluß entstehen konnte. Es steht Aussage gegen Aussage.

Mit wahrer Engelsgeduld beginnt er von vorn auseinanderzusetzen.

„Als ich gestern bei deinen Eltern war und mit ihnen eine lange Aussprache hatte, haben mir beide übereinstimmend erklärt, du habest wörtlich gesagt, du m ü ß t e s t mich heiraten. Das läßt doch eigentlich nur den Schluß zu . . .“

Ein perlendes Lachen unterbricht überraschend seine eindringlichen Worte und klingt erlösend durch die mit Spannung geladene Atmophäre des Raumes, so unbeschwert, so fröhlich und so beglückend wie damals, als es an einem Tag voll Sonne und Frohsinn zum ersten Mal sein Herz betörte.

„D a s habe ich natürlich damals gesagt! Aber das will doch nicht gleich heißen, daß ich ein Kind bekomme. Mein Vater hat es also so ausgelegt, deswegen der fulminante Rausschmiß. Mein Gott, seid Ihr Männer manchmal dumm! Ich m u ß dich ganz einfach heiraten, weil ich dich so schrecklich lieb habe . . .“

ENDE

Weitere Bücher aus dem Battert-Verlag

FLAKE, OTTO
DIE DAME „BRABANT" (Erstdruck)
116 Seiten, Kartonleinen, 4,80 DM

ALTENDORF, WOLFGANG
(Gerhart-Hauptmann-Preisträger)
ENGEL AN MEINER SEITE
155 Seiten, Kartonleinen, 4,80 DM

F. W. ABEL
(Pressestimmensprecher am Südwestfunk)
LILIEN FÜR CHRISTA (Erstdruck)
110 Seiten, Kartonleinen, 4,80 DM

POLOMSKI, GEORG
(Ehemaliges Oberschlesisches Schauspiel)
DER GOLDENE WEIZENACKER (Erstdruck)
116 Seiten, Kartonleinen, 4,80 DM

SCHARNKE, REINHOLD
SIE SANG SICH IN SEIN HERZ (Erstdruck)
Roman um Richard Strauss und Pauline de Ahna
128 Seiten, Kartonleinen, 4,80 DM

GOTTBERG, ERIKA von
DU BIST WIE BROT FÜR MICH, Gedichte (Erstdruck)
96 Seiten, Kartonleinen, 6,80 DM

WEIGERTH, ALADAR von
NADINE (Erstdruck)
200 Seiten, Kartonleinen, Doppelband, 9,80 DM

KASCH, OTTO
DAS FIDELE RATHAUS
Ergötzliche Geschichten aus Unratshausen (Erstdruck)
168 Seiten, Kartonleinen, 4,80 DM

Demnächst erscheinen:

POLOMSKI, GEORG
ROSEN FÜR LIEBENDE

F. W. ABEL
IRENE

So urteilt die Presse über bbb-Romane

FLAKE, OTTO (Erstdruck)
DIE DAME BRABANT, 116 Seiten, 4,80 DM
Gesellschafts- und Kriminalroman um eine geheimnisvolle
Dame
Gutes Erzählhandwerk, glaubwürdige Handlung und Logik
der Lösung zeichnen diesen Kriminalroman vor vielen aus.
(Auszug aus „Das neue Buch" — „Buchprofile" Nr. 19/3,
Schachtner). ISBN 3-87989-000-5

ALTENDORF, WOLFGANG (Gerhart-Hauptmann-Preis-
träger)
ENGEL AN MEINER SEITE, 155 Seiten, 4,80 DM
„Ein optimistisch-heiterer Roman für breite Lesekreise."
(Auszug aus „Das neue Buch" Nr. 18/3, Abs.)
ISBN 3-87989-002-1

POLOMSKI, GEORG (Ehemaliges Oberschlesisches Schauspiel)
DER GOLDENE WEIZENACKER, 116 Seiten, 4,80 DM
„. . . für Kinder von 6 Jahren an einsetzbar, zum Vorlesen
auch für Kleinere." (Auszug aus „Das neue Buch" — „Buchprofile" Nr. 19/2) ISBN 3-87989-003-

SCHARNKE, REINHOLD
SIE SANG SICH IN SEIN HERZ (Erstdruck)
Roman um Richard Strauss und Pauline de Ahna
128 Seiten, Kartonleinen, 4,80 DM
Der Roman behandelt die Liebesgeschichte zwischen Richard
Strauss und seiner späteren Frau vom ersten Kennenlernen
bis zur Verlobung.
Wo Bedarf speziell für Musikerbiographien in Romanform
besteht, ist eine Einstellung möglich, zumal die Taschen-
buchausgabe ja ziemlich preiswert ist. (Nonnen)
Auszug aus „Das neue Buch" — „Buchprofile" Nr. 2/März 75
ISBN 3-87989-004-8